D0524150

HIRO MASHIMA

FAIRY TAIL 4
SOMMAIRE

FAIRY TAIL
CHAPITRE 23 : CRIME ET CHÂTIMENT
FAIRY TAIL
NOM : NATSU
ÂGE : INCONNU
MAGIE : CHASSEUR DE DRAGON
CHOSE PRÉFÉRÉE : LE FEU
CHOSE DÉTESTÉE : LES MOYENS DE TRANSPORT
C'EST UN DES MEMBRES LES PLUS PERTURBATEURS DE FAIRY TAIL. SA MAGIE LUI PERMET DE MANGER LE FEU ET DE S'EN ENTOURER. ELLE RESSEMBLE À UNE MAGIE ANTIQUE.
AVEC SON COMPAGNON, HAPPY, IL RECHERCHE IGNIR (UN DRAGON) QUI L'A ÉLEVÉ.

FAIRY TAIL
FSHOOUUUUU...

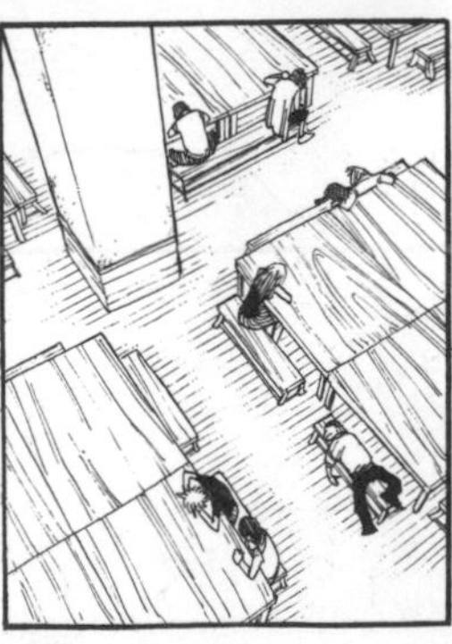

FAITES-MOI SORTIR !
...
J'ÉTOUFFE !

TAIS-TOI, NATSU !
LIBÉREZ-MOI !

SI ON TE LAISSE SORTIR, TU VAS T'ÉNERVER.

MAIS NON, C'EST PAS MON GENRE !

FSHAAAAA

REDONNEZ-MOI AU MOINS MON APPARENCE !

SI ON FAIT ÇA, TU PARTIRAS SAUVER ERZA !
MAIS NON ! JE M'EN FOUS D'ERZA !
JE VAIS PAS RISQUER MA PEAU POUR ELLE...

DE TOUTE FAÇON, ON NE PEUT RIEN FAIRE... LE CONSEIL EST TOUT PUISSANT...

J'EN AI RIEN À SECOUER DU CONSEIL...

ET EN PLUS, IL SE PLANTE !

J'AI QU'UNE CHOSE À DIRE :

LAISSEZ-MOI SORTIR !

NATSU, TU SAIS BIEN QU'ON NE PEUT PAS DISCUTER LES DÉCISIONS DU CONSEIL...

C'EST COMME ÇA.

QUAND MÊME, AVEC TOUT CE QU'ON A FAIT JUSQU'ICI... QU'EST-CE QUI LEUR PREND ?

JE NE COMPRENDS PAS...

C'EST PAS CLAIR...
JE SUIS SÛRE QUE TOUT ÇA CACHE QUELQUE CHOSE.

LE SIÈGE DU CONSEIL AU ROYAUME DE FIORE...

TAP

TAP

TAP

JYCRAIN ?!

GLOUPS

ÇA FAIT UN BAIL, ERZA.
TSAP
TSAC
DU CALME ! C'EST JUSTE UNE PROJECTION.
MON VRAI CORPS EST À ERA.
WOOM
WOOM

LES VIEUX, DERRIÈRE LA PORTE, SONT AUSSI DES PROJECTIONS.
ON N'ALLAIT PAS SE DÉPLACER POUR SI PEU, QUAND MÊME.

JE VOIS... C'EST À CAUSE DE TOI, TOUT ÇA.
ENCORE UNE DE TES SALES BLAGUES !

TU TE TROMPES... J'AI PRIS LA DÉFENSE DE FAIRY TAIL.

MAIS LES VIEUX ONT TROP PEUR D'ÊTRE DÉSIGNÉS COMME RESPONSABLES.
ILS AVAIENT BESOIN DE QUELQU'UN POUR TOUT LUI METTRE SUR LE DOS.
UNE SORTE DE BOUC ÉMISSAIRE.

TAIS-TOI !

JE VOULAIS JUSTE TE VOIR AVANT TON PROCÈS POUR QUE...

TU NE LEUR PARLES SURTOUT PAS DE ÇA.
PSS
CE SERA MIEUX POUR NOUS DEUX.
WOOM
WOUSH
BON, ON SE REVOIT DERRIÈRE LA PORTE.
LÀ-BAS, JE SERAI UN CONSEILLER.

VOUS... VOUS CONNAISSEZ DES GENS TRÈS IMPORTANTS !
C'EST UN DÉMON.

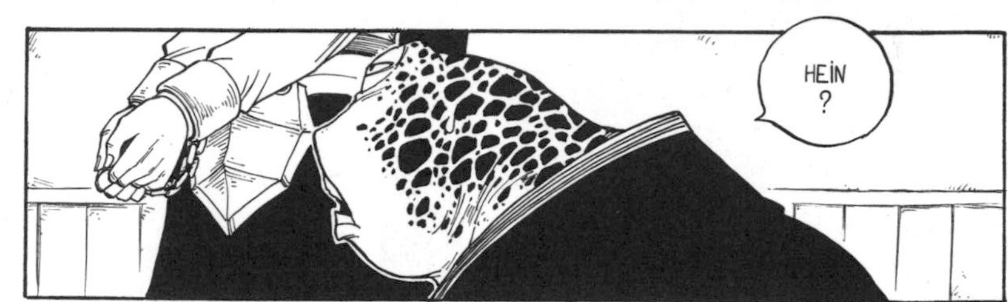
HEIN ?

NE TE METS PAS EN TRAVERS DE MON CHEMIN, ERZA...

J'AI DÉJÀ EU DU MAL À ARRIVER JUSQU'ICI.

LE PROCÈS EN MAGIE EST OUVERT !

L'ACCUSÉE ERZA SCARLETT...

EST APPELÉE À LA BARRE !
BOOOOM

ON NE PEUT PAS RESTER LÀ À NE RIEN FAIRE !
ON DOIT ALLER TÉMOIGNER !
PAF
LUCY !

FA

ON N'ARRIVERA JAMAIS AVANT LE VERDICT.

QUAND ELLE SERA CONDAMNÉE, IL SERA TROP TARD !
QUOI ? MAIS C'EST UNE ARRESTATION ARBITRAIRE !

SOIS PATIENTE, LUCY !

PAPOM
TU ES VRAIMENT PRÊT POUR ÇA ?

LAISSEZ-MOI SORTIR !
MAIS...

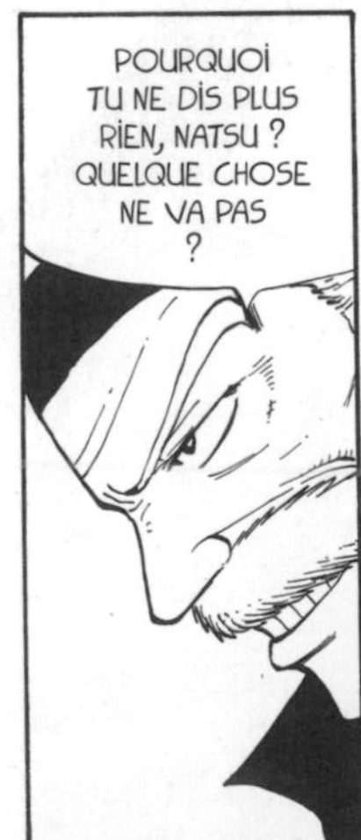
POURQUOI TU NE DIS PLUS RIEN, NATSU ? QUELQUE CHOSE NE VA PAS ?

?

BRR
BRR

YAH!
AAAAH!
FSHAAAAAM
POUF
MACAO ?!
HEIIIIIN ?
DÉ... DÉSOLÉ...
J'AVAIS UNE DETTE ENVERS NATSU...

JE ME SUIS TRANSFORMÉ EN LÉZARD POUR LUI PERMETTRE DE FILER.
MON PAPA A CAPTURÉ NATSU !
FOUS LE CAMP ! JE VAIS ME FAIRE PASSER POUR TOI !
MERCI, MACAO.

OÙ EST NATSU, ALORS ?
NE ME DIS PAS QU'IL A SUIVI ERZA ?
PEUT-ÊTRE BIEN...
ÇA CRAINT ! IL EST CAPABLE DE SE FRITTER AVEC LES CONSEILLERS !

TAISEZ-VOUS !
ON VA CALMEMENT ATTENDRE ET VOIR CE QUI SE PASSE.

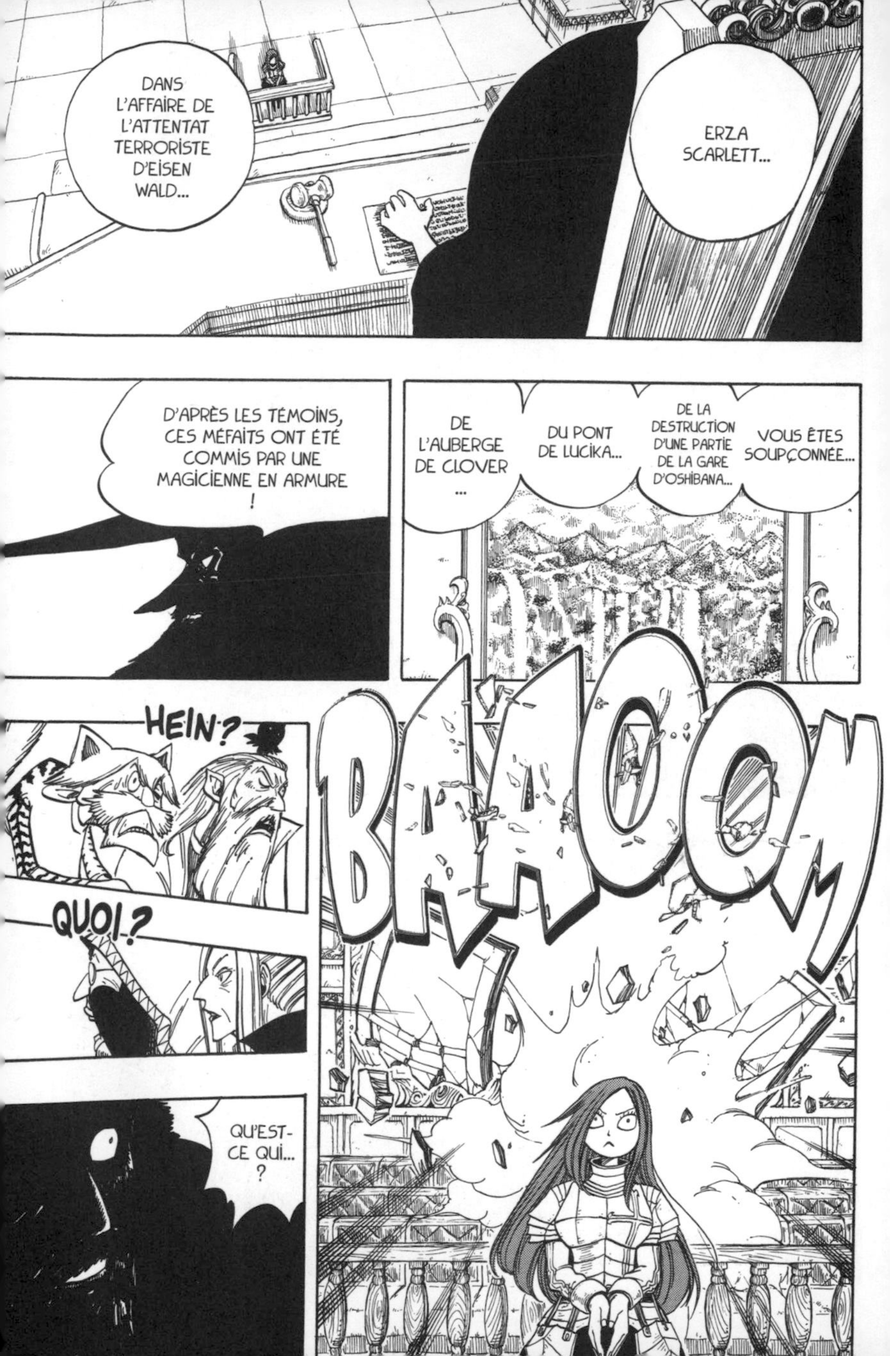
ERZA SCARLETT...
DANS L'AFFAIRE DE L'ATTENTAT TERRORISTE D'EISEN WALD...
VOUS ÊTES SOUPÇONNÉE...
DE LA DESTRUCTION D'UNE PARTIE DE LA GARE D'OSHIBANA...
DU PONT DE LUCIKA...
DE L'AUBERGE DE CLOVER ...
D'APRÈS LES TÉMOINS, CES MÉFAITS ONT ÉTÉ COMMIS PAR UNE MAGICIENNE EN ARMURE !
BAAOOM
HEIN ?
QUOI ?
QU'EST-CE QUI... ?

PLAM
JE SUIS LA MAGICIENNE EN ARMURE !
SI VOUS DEVEZ ARRÊTER QUELQU'UN, ARRÊTEZ-MOI !
BROOOM
!!

ERZA, C'EST MOI !
DITES-MOI DE QUOI JE SUIS ACCUSÉE !
ゴゴゴゴゴ
BROOOM
DÉTRUIRE DES BÂTIMENTS, C'EST PLUS GRAVE QUE DE SAUVER LA VIE DES MAÎTRES DE GUILDE ?!
PFOU
HEIN ?

WOOOM
HÉ HÉ !
EN CELLULE, TOUS LES DEUX !
JE... JE SUIS DÉSOLÉE...
ERZA ! T'AS PAS À T'EXCUSER !
D'ABORD, ERZA, C'EST MOI !

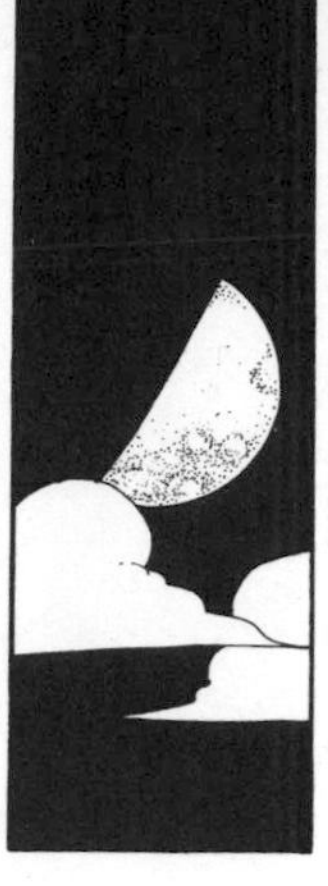

J'EN REVIENS PAS ! JE NE SAIS PAS QUOI DIRE !
C'ÉTAIT QU'UNE FORMALITÉ !
UNE FORMALITÉ ?

ON M'A ARRÊTÉE POUR LA FORME.
POUR MAINTENIR L'ORDRE DANS LE MONDE DE LA MAGIE...
LE CONSEIL A BESOIN DE SE DONNER UNE IMAGE DE RIGUEUR !

QU'EST-CE QUE TU VEUX DIRE ?
JE NE PIGE PAS.

EN CLAIR, MÊME SI J'AVAIS FAIT QUELQUE CHOSE, JE N'AURAIS PAS ÉTÉ CONDAMNÉE ET SANS TON INTERVENTION DÉBILE, JE SERAIS DÉJÀ RENTRÉE À FAIRY TAIL !
HEIIIIIN ?!

BON SANG...
JE...
JE SUIS DÉSOLÉ...

MAIS ÇA
M'A FAIT
PLAISIR...

HÉ HÉ...
AÏE
!
JE
VOIS...

TU ÉTAIS
DONC À FAIRY
TAIL...
NATSU
DRAGNIR...

CHAPITRE 24 : LE PREMIER ÉTAGE

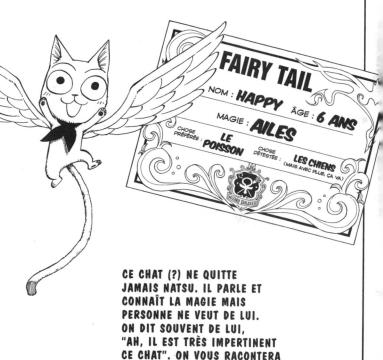

FAIRY TAIL
NOM : HAPPY ÂGE : 6 ANS
MAGIE : AILES
CHOSE PRÉFÉRÉE : LE POISSON CHOSE DÉTESTÉE : LES CHIENS (MAIS AVEC PLUE, ÇA VA)
WIZARD GUILD X633

CE CHAT (?) NE QUITTE JAMAIS NATSU. IL PARLE ET CONNAÎT LA MAGIE MAIS PERSONNE NE VEUT DE LUI. ON DIT SOUVENT DE LUI, "AH, IL EST TRÈS IMPERTINENT CE CHAT". ON VOUS RACONTERA SA RENCONTRE AVEC NATSU UNE AUTRE FOIS.

C'EST ENCORE À LA MAISON QU'ON SE SENT LE MIEUX !
C'EST GÉNIAL !
TADAM
VIVE LA LIBERTÉ !
YAOUH !
LA FERME !
ON VOUDRAIT MANGER DANS LE CALME.
ILS AURAIENT DÛ LE GARDER ENFERMÉ ENCORE UN PEU...
TAPATATATAP

C'ÉTAIT DONC QU'UNE ARRESTATION DE PRINCIPE. ON S'EST INQUIÉTÉS POUR RIEN.
JE VOIS ! LE MESSAGER ÉTAIT UNE GRENOUILLE POUR ANNONCER UN RETOUR RAPIDE.
T'ES BIEN UN MAGICIEN DE LA GLACE ! CE QUE TU PEUX ÊTRE FROID !
PAF
PFOU
ET SON DUEL ENTRE HOMMES AVEC ERZA, ÇA DEVIENT QUOI ?
ENTRE HOMMES ?
AH OUAIS ! J'AVAIS OUBLIÉ !
RAAAH!
ERZA ! ON A UN TRUC À FINIR !
PAS MAINTENANT, JE SUIS FATIGUÉE...
C'EST PARTI !
TAP
JE TE JURE...

PLAAAM

PLAAAF
BROOOM
FSHAAAM
BAOOM
BEUH
SI TU VEUX TE BATTRE, JE SUIS PRÊTE.
TROP TARD, IL EST DÉJÀ K.-O. !

BWAHAHAHAHA ! T'ES TROP NUL, NATSU !
ERZA EST LA PLUS FORTE, C'EST CLAIR.
LES PARIS DE L'AUTRE FOIS TIENNENT TOUJOURS ?
ILS ONT ENCORE DÉMOLI L'AUBERGE.
BLA BLA
BLA BLA
BLA BLA
BLA BLA

!
HUM...

QU'EST-CE QU'IL Y A, MAÎTRE ?

RIEN...
JE SUIS FATIGUÉ.

?
IL ARRIVE.

AH...

FSHOU

!
ENCORE ?!
AH !
SUIS CREVÉE...

POM

PLAM
BONG

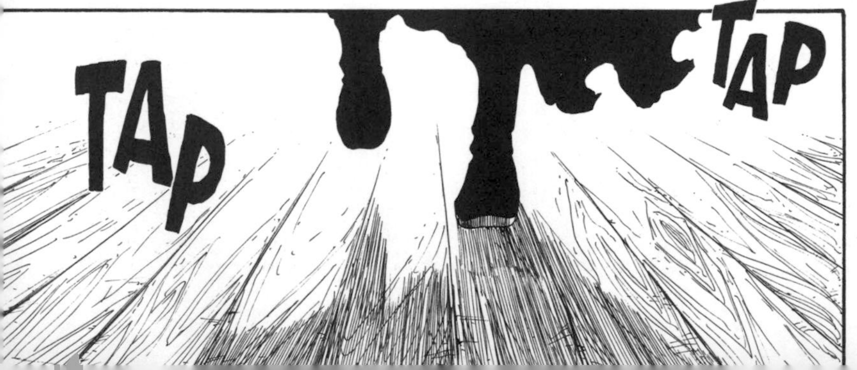
TAP
TAP

WOOOOOM

WANTED
CRATCH
HUNTING
PILGRIM
TU VAS LEVER TON SORT DE SOMMEIL, OUI ?
PLAF
J'Y VAIS.
UN...
FSAP
DEUX...
QUATRE...
TROIS...
CINQ...
TSAP

PLOP
PLOP
PLOP
PLOP
PLOP
PLOP
ZZZZZ...
ZZZZZ...
...
CETTE SENSATION... C'ÉTAIT MIST-GUN ?
LA SALETÉ !
SON SORT DE SOMMEIL EST VRAIMENT PUISSANT !
C'EST QUI, MIST-GUN ?
UN DES TYPES LES PLUS PUISSANTS DE FAIRY TAIL.

ON NE SAIT PAS POURQUOI, MAIS IL NE VEUT PAS QU'ON LE VOIE.
À CHAQUE FOIS QU'IL VIENT CHERCHER UN BOULOT, IL ENDORT TOUT LE MONDE.
C'EST QUOI, CE DÉLIRE ?!
C'EST LOUCHE !
PERSONNE NE SAIT À QUOI IL RESSEMBLE, SAUF LE MAÎTRE.

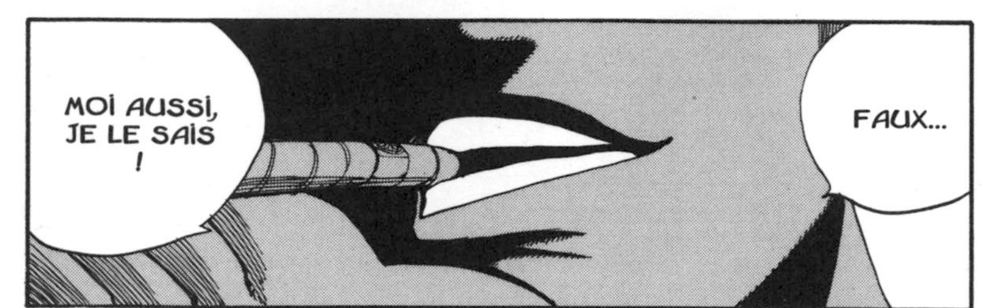

FAUX...
MOI AUSSI, JE LE SAIS !

LUXUS ?!

TU ÉTAIS LÀ ?

C'EST PAS SOUVENT !

HEIN ?

!!

C'EST UN DES MAGES LES PLUS PUISSANTS DE LA GUILDE !

MIST-GUN EST UN GRAND TIMIDE, IL FAUT PAS CHERCHER PLUS LOIN.
LUXUS DRAER, MEMBRE DE FAIRY TAIL.
LUXUS ! JE TE DÉFIE !
TU VIENS JUSTE DE TE FAIRE RÉTAMER PAR ERZA !
OUAIS. SI TU FAIS PAS LE POIDS CONTRE ELLE, TU LE FERAS PAS CONTRE MOI.

QU'EST-CE QUE TU VEUX DIRE, AU JUSTE ?
GRRR
EUH... RESTE CALME, ERZA.
JE SUIS LE PLUS FORT, C'EST TOUT.
DESCENDS POUR VOIR, ABRUTI !
TU N'AS QU'À MONTER.
ÇA MARCHE !
TAPATATAP
FSHOUUU

PLAM

ARGH !

TU NE MONTES PAS AU PREMIER.
C'EST TROP TÔT.

IL RIGOLE PAS LE VIEUX, HEIN ?

RAAAH !

LUXUS, ARRÊTE !

JE SUIS LE PLUS FORT DE FAIRY TAIL ET PERSONNE N'AURA MA PLACE !
NI ERZA, NI MIST-GUN...
NI L'AUTRE !
JE SUIS...
LE PLUS BALÈZE !
POURQUOI LE MAÎTRE A-T-IL DIT...
QUE NATSU NE POUVAIT PAS MONTER AU PREMIER ?
LUCY, TU VIENS D'ARRIVER, TU AS ENCORE BEAUCOUP DE CHOSES À APPRENDRE...

LES PETITES ANNONCES DU PREMIER SONT BEAUCOUP PLUS DURES QUE CELLES DU REZ-DE-CHAUSSÉE.
CE SONT DES S-QUEST.

DES S-QUEST ?!
AH !

MÊME SI TU AVAIS PLUSIEURS VIES, TU NE PARVIENDRAIS PAS À MENER UNE S-QUEST À SON TERME...
ON DIRAIT, EN EFFET...

LE MAÎTRE DÉSIGNE LES PERSONNES CAPABLES DE LES MENER À BIEN...
POUR LE MOMENT, ILS NE SONT QUE CINQ À POUVOIR LES ACCOMPLIR : ERZA, LUXUS, MIST-GUN, LE MAÎTRE ET L'AUTRE.

DANS CES MISSIONS, LA MOINDRE ERREUR SIGNIFIE LA MORT. C'EST TOUT CE QUE JE PEUX TE DIRE.
WOUAH !

J'AVAIS DÉJÀ ENTENDU PARLER DE MIST-GUN ET DE LUXUS.
ATTENTION, MADEMOISELLE...
TAP
TAP
FAIRY TAIL EST VRAIMENT UNE GUILDE INCROYABLE !

MAINTENANT, JE SAIS COMMENT SE RÉPARTISSENT LES FORCES...

S CLASS

LE MAÎTRE

L'AUTRE

ERZA

LUXUS

MIST-GUN

NATSU

GREY

MOI

LES AUTRES

T'ES À CE NIVEAU-LÀ, TOI ?

DÉS DEMAIN, ON SE MET AU BOULOT !
GNiiiii
CLIC

HAN! HAN!

SALUT !

HAN!

COUCOU !

AAAAAAH!

HAN! HAN! HAN!

QU'EST-CE QUE TU RACONTES ? ON FORME UNE ÉQUIPE, NON ?
TIENS, C'EST POUR TOI !
T'AIMES BIEN LE ROSE, PAS VRAI ?
MAIS J'AI HORREUR DES HALTÈRES !

JE DOIS ÊTRE PLUS FORT POUR BATTRE ERZA ET LUXUS.
OUAIS !
HAN! HAN! HAN! HAN!
JE M'EN FOUS ! ALLEZ-VOUS-EN !
ON VA FAIRE DES POMPES TOUTE LA NUIT !
AU SECOURS ! QUE QUELQU'UN ME DÉBARRASSE DE CES DEUX ABRUTIS !

J'AI PRIS UNE DÉCISION.

!?

ON VA
SE FAIRE UNE
S-QUEST,
LUCY
!
TADAM
HELP US!!
curst island
CLASS
7000000 J
GOLD
OÙ
T'AS
EU
ÇA
?!
PANIQUE À BORD

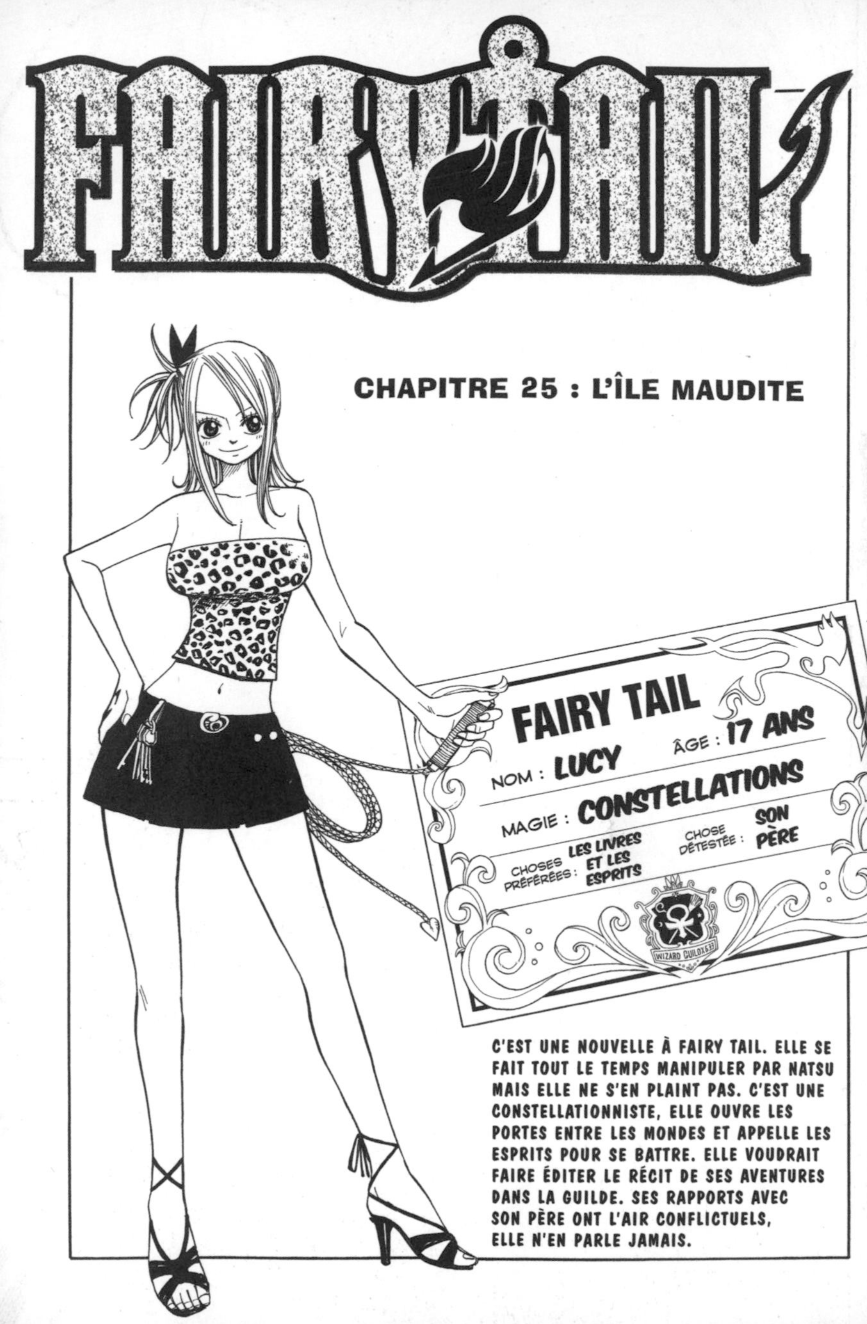
FAIRY TAIL
CHAPITRE 25 : L'ÎLE MAUDITE
FAIRY TAIL
NOM : LUCY
ÂGE : 17 ANS
MAGIE : CONSTELLATIONS
CHOSES PRÉFÉRÉES : LES LIVRES ET LES ESPRITS
CHOSE DÉTESTÉE : SON PÈRE
WIZARD GUILD
C'EST UNE NOUVELLE À FAIRY TAIL. ELLE SE FAIT TOUT LE TEMPS MANIPULER PAR NATSU MAIS ELLE NE S'EN PLAINT PAS. C'EST UNE CONSTELLATIONNISTE, ELLE OUVRE LES PORTES ENTRE LES MONDES ET APPELLE LES ESPRITS POUR SE BATTRE. ELLE VOUDRAIT FAIRE ÉDITER LE RÉCIT DE SES AVENTURES DANS LA GUILDE. SES RAPPORTS AVEC SON PÈRE ONT L'AIR CONFLICTUELS, ELLE N'EN PARLE JAMAIS.

QU'EST-CE QUE ÇA VEUT DIRE ?!

LE MAÎTRE NOUS A BIEN DIT QU'ON N'AVAIT PAS LE DROIT D'ALLER AU PREMIER !

COMME C'EST NOTRE PREMIÈRE S-QUEST, ON A PRIS LA MOINS BIEN PAYÉE.
ÇA FAIT QUAND MÊME 7 MILLIONS DE JOYAUX.
MAIS ON N'EST PAS APTES À SE LANCER DANS UNE TELLE MISSION !
FSAP

SI ON RÉUSSIT, LE VIEUX CHANGERA D'AVIS !
FSAP

J'EN AI ASSEZ ! ON DIRAIT QUE VOUS CHERCHEZ TOUJOURS LES ENNUIS !
VOUS POURRIEZ AU MOINS RESPECTER LES RÈGLES DE VOTRE PROPRE GUILDE !
DANS CE CAS, ON N'AURA JAMAIS ACCÈS AU PREMIER ÉTAGE.
POUF

EN TOUT CAS, MOI JE NE VIENS PAS.
ALLEZ-Y, TOUS LES DEUX.

IL FAUT SAUVER UNE ÎLE !
ON Y VA ?
UNE ÎLE ?

L'ÎLE MAUDITE DE GALUNA !
UNE MALÉDICTION ? TRÈS PEU POUR MOI !
HELPUS

MÊME SI JE TE DONNE LA MOITIÉ DE MES POISSONS ?
C'EST PAS ÇA QUI VA ME FAIRE CHANGER D'AVIS !

TSS ! ON SE TIRE !
OK !
VOUS FERIEZ MIEUX DE RESTER ICI !
SORTEZ PAR LA PORTE, AU MOINS !

PFOU...

AH !
FSAP
ILS ONT OUBLIÉ L'ANNONCE !

ON VA CROIRE QUE C'EST MOI QUI L'AI VOLÉE ! QU'EST-CE QUE JE DOIS FAIRE ?!

HEIN ?

RÉCOMPENSE :
7 MILLIONS DE JOYAUX ET UNE CLÉ EN OR.

IL Y A UNE CLÉ DES DOUZE VOIES D'OR EN RÉCOMPENSE ?

HI HI HI !

NATSU ! HAPPY !
ATTENDEZ-MOI ! ♡

FAIRY TAIL
POUR UNE CATASTROPHE, C'EST UNE CATASTROPHE !
MAÎTRE ! UNE ANNONCE DU PREMIER ÉTAGE A DISPARU !
!!
PFROUUU
HEIN ?!
!!
HIER SOIR, J'AI VU UN CHAT EN VOLER UNE.
IL AVAIT DES AILES.

HAPPY ?!

ÇA VEUT DIRE QUE NATSU EST DANS LE COUP !

QU'EST-CE QUI LEUR EST PASSÉ PAR LA TÊTE ?!

JE PENSAIS QU'ILS ÉTAIENT DÉBILES, MAIS PAS À CE POINT.

ILS SE SONT PAS LANCÉS DANS UNE S-QUEST, QUAND MÊME ?!

C'EST UN GRAVE MANQUEMENT À NOTRE RÈGLEMENT.

HÉ, LE VIEUX ! IL FAUDRA LES VIRER QUAND ILS REVIENDRONT.

EN FAIT, VU LEUR NIVEAU, IL Y A PEU DE CHANCE QU'ILS REVIENNENT...

HA HA !

...

POURQUOI TU N'AS PAS ESSAYÉ DE LES ARRÊTER, LUXUS ?!

J'AI JUSTE VU UN CHAT AILÉ SE BARRER AVEC UNE FEUILLE DE PAPIER.

J'AI PAS PENSÉ QUE NATSU UTILISAIT HAPPY POUR SE LANCER DANS UNE S-QUEST.

AH ?
ÇA FAISAIT LONGTEMPS QUE TU M'AVAIS PAS REGARDÉ COMME ÇA.

ÇA CRAINT...
QUELLE ANNONCE A DISPARU ?

CELLE DE L'ÎLE MAUDITE DE GALUNA.

L'ÎLE DU DÉMON ?!

KOOOOOA ?!

LUXUS ! VA LES CHERCHER !

TU RIGOLES ?! J'AI DU BOULOT, MOI !
TROUVE QUELQU'UN D'AUTRES POUR LES RATTRAPER...
OK ?

NON, TU ES LE SEUL À ÊTRE ASSEZ FORT POUR LE FAIRE !

PLAM

TU M'INSULTES EN DISANT ÇA !

EH, PAPI...

LE LENDEMAIN, AU PORT DE HARUJION.
OUAH ! ÇA FAISAIT LONGTEMPS !
C'EST ICI QU'ON S'EST RENCONTRÉS, J'AI L'IMPRESSION QUE ÇA FAIT UNE ÉTERNITÉ !
C'ÉTAIT Y A PAS SI LONGTEMPS QUE ÇA...
LA PAUVRE EST SÉNILE !
PFOU...
BON, ON VA COMMENCER PAR CHERCHER UN BATEAU POUR GALUNA ?
UN BATEAU ?! C'EST PAS POSSIBLE ! ON Y VA À LA NAGE !
NON, ÇA, C'EST ENCORE MOINS POSSIBLE.

MÊME SON NOM EST TABOU...
LES MARINS ONT TOUS PEUR DE CETTE ÎLE.
N'INSISTEZ PAS ! JE VEUX MÊME PAS EN ENTENDRE PARLER !
L'ÎLE DE GALUNA ? VOUS RIGOLEZ ! JE M'EN APPROCHE MÊME PAS !
MAIS PERSONNE VOUS Y EMMÈNERA. MÊME LES PIRATES L'ÉVITENT.
JE NE SAIS PAS CE QUE VOUS VOULEZ Y FAIRE...
À LA NAGE ? C'EST DU SUICIDE ! À MOINS QUE VOUS N'AYEZ PAS PEUR DES REQUINS GÉANTS.
M'EN FOUS DES REQUINS, JE LES RÉDUIRAI EN CENDRES !
LE FEU S'ÉTEINT DANS L'EAU.
C'EST DÉCIDÉ, ON Y VA À LA NAGE !
OK !
OH NON...
PAC
COMMENT ON VA FAIRE ?
À LA NAGE, COMME JE LE DISAIS !
OUTCH
OUTCH

BOUH ! JE VOUS TIENS !
TAP
!!!
TAP
GREY ?!
QU'EST-CE QUE TU FOUS LÀ ?
JE SUIS VENU VOUS CHERCHER. ORDRE DU VIEUX.
IL EST DÉJÀ AU COURANT ?!
SI VOUS RENTREZ MAINTENANT, VOUS ÉCHAPPEREZ PEUT-ÊTRE À LA RADIATION.
LA RADIATION ?!
JAMAIS DE LA VIE ! JE VEUX FAIRE CETTE S-QUEST !
AVEC VOTRE NIVEAU, C'EST PAS POSSIBLE ! C'EST PLUTÔT UNE FINAL-QUEST.
QUAND ERZA SAURA ÇA, JE VOUS PLAINS...

SALE TRAÎTRE !
GREY ! AU SECOURS ! J'AI ESSAYÉ DE LES DISSUADER !

QUAND ERZA SAURA ÇA ?!

TSING
MÊME SI JE DOIS TE RAMENER EN MORCEAUX !

C'EST UN ORDRE DU MAÎTRE ! JE TE RAMÈNERAI DE FORCE, S'IL LE FAUT.
J'AI PAS PEUR D'ERZA ! FOUS LE CAMP.

C'EST DE LA MAGIE ?!

ARRÊTEZ, TOUS LES DEUX !
TU ME CHERCHES, C'EST ÇA ?!
FROUSH

VOUS ÊTES DES MAGICIENS ?

!!!

YAOH !
BOSATCH!
PLAAAAF
LUCY, MONTE !
ON EMMÈNE GREY ?
S'IL RENTRE À LA GUILDE, ERZA VA VENIR NOUS CHERCHER !
AAAAAH!
EN AVANT POUR L'ÎLE DE LA S-QUEST !
FSHOUUUU
BURPS

BRAVO!
SHOUUUUUU

AU FAIT, M'SIEUR, POURQUOI VOUS AVEZ ACCEPTÉ D'UN SEUL COUP ?
ÇA CRAINT POUR VOUS.

C'EST PEUT-ÊTRE UN PEU TARD, MAIS J'AI PEUR...
TU ME DIS ÇA, ALORS QUE VOUS M'AVEZ ENTRAÎNÉ LÀ-DEDANS ?!

JE M'APPELLE BOBO. AVANT, JE VIVAIS LÀ-BAS...
BIZARRE COMME NOM...
HEIN ?

MAIS JE ME SUIS ENFUI...
DE CETTE FOUTUE ÎLE MAUDITE !
BRAVO!

C'EST QUOI, CETTE MALÉDICTION ?

ELLE S'ATTAQUE DIRECTEMENT À VOTRE CORPS !

ET C'EST CE QUI VOUS ARRIVERA LÀ-BAS.

CAR JE NE CROIS PAS QUE VOUS ARRIVEREZ À LEVER CETTE MALÉDICTION...

DiABOLIQUE ?

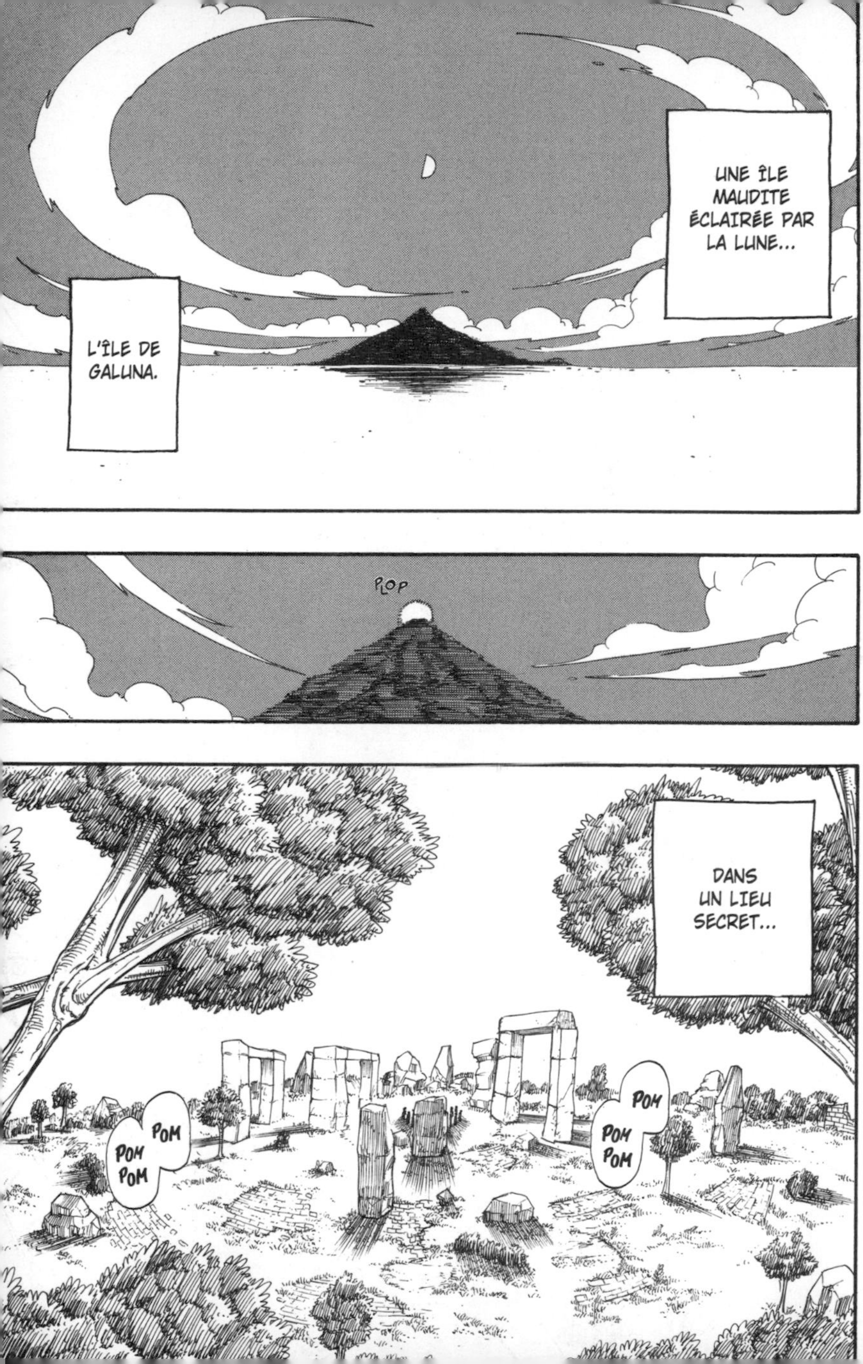

UNE ÎLE MAUDITE ÉCLAIRÉE PAR LA LUNE...

L'ÎLE DE GALUNA.

PLOP

DANS UN LIEU SECRET...

POM POM POM

POM POM POM

UN ÉTRANGE RITUEL SE PRÉPARE...
POM POM
POM POM
POM POM
DONT PERSONNE NE SOUPÇONNE ENCORE SON BUT ULTIME...

CHAPITRE 26 : LA LUNE SE LÈVERA-T-ELLE ?

MAÎTRE DE FAIRY TAIL, LA GUILDE RÉUNISSANT LES MAGICIENS LES PLUS INDISCIPLINÉS. SA PUISSANCE EST INCALCULABLE. IL EST TRÈS DOUÉ POUR SE TRANSFORMER EN GÉANT, MAIS IL PEUT AUSSI UTILISER INDIFFÉREMMENT LES MAGIES DU FEU, DE LA GLACE OU DE L'AIR. MÊME DANS LA GUILDE, PERSONNE N'OSE VRAIMENT DISCUTER AVEC LUI ET IL EST TRÈS DISCRET SUR SA VIE PRIVÉE.

M'SIEUR... VOTRE BRAS...
C'EST ÇA... LA MALÉDICTION ?

LA VOILÀ.

C'EST GALUNA.

FSHOUUUUUU

DITES...

!!

BOBO, ÎL EST PLUS LÀ ?
EUH ? HEIN ?

ÎL EST TOMBÉ ?
TSAC
TSAC
TSAC

BRRRRRRR
!!

BRRRRRRR

SÉRIEUX ? COMMENT ÇA SE FAIT ?
JE NE LE VOIS PAS !
BRAVO!

BRRRRRR
C'EST QUOI, CE BRUIT ?
BRRRRRR
BROOOOOM
AAAAAAAAAH !
UN TSUNAMI !!
IL VA NOUS ENGLOUTIR !
HAPPY ! ENVOLE-TOI AVEC LE BATEAU !
JE NE PEUX PAS !
BEURK
ALORS, DÉGAGE ET RAPIDO !

'TAIN ! C'EST DE VOTRE FAUTE !
AAAAAAAH !
FSHROUUU
FSHOUUU
FSHOUUU

!!
OÙ JE SUIS, LÀ ?
!
ET LES AUTRES ?!
BEUH...
...

HA HA
ON EST ARRIVÉS ? ON EST SUR GALUNA ?
ON DIRAIT QUE LA VAGUE NOUS A JETÉS SUR LA PLAGE HIER SOIR.
...

POUR PARLER D'AUTRE CHOSE... C'ÉTAIT PAS TRÈS BEAU SON BRAS ? C'ÉTAIT ÇA, LA MALÉDICTION ?
ET POURQUOI IL A DISPARU ?

ON S'EN FOUT ! ON A UNE ÎLE À EXPLORER !
OUAIS !
FAUDRAIT PEUT-ÊTRE FAIRE UN POINT AVANT DE PARTIR À L'AVENTURE...

NON, C'EST TOUT SIMPLE. IL DOIT Y AVOIR UN VILLAGE SUR L'ÎLE...
ET C'EST SÛREMENT LE CHEF QUI LUI A PASSÉ L'ANNONCE...
ON VA ALLER LE CHERCHER.
UNE MINUTE !

JE VIENS AVEC VOUS.

NON !
TSAC
QUOI ? MAINTENANT QU'ON EST LÀ, TU VEUX TOUJOURS NOUS RAMENER ?

ÇA ME GONFLERAIT DE VOUS VOIR AU PREMIER ÉTAGE AVANT MOI...
ET ENCORE PLUS DE VOUS VOIR RADIER...

ALLONS-Y !

OUAIS !

ずずーーん
TADAM
KEEP OUT

* ENTRÉE INTERDITE.

ENTRÉE INTERDITE ? C'EST QUOI, CE VILLAGE ?
EXCUSEZ-NOUS ! VOUS POURRIEZ NOUS OUVRIR ?
TANT PIS...
ON FONCE DANS LE TAS.
SÛREMENT PAS !
RAAAH

QUI ÊTES-VOUS ?
!!
DES MAGICIENS DE LA GUILDE DE FAIRY TAIL !
NOUS VENONS POUR L'ANNONCE !

FAIRY TAIL ? ON N'A JAMAIS ENVOYÉ D'ANNONCE LÀ-BAS.
AH... EUH...

ON L'AURAIT REÇUE PAR ERREUR, ALORS.
SI VOUS N'OUVREZ PAS, ON SE TIRE.
PAS MOI !
TAIS-TOI !

MONTREZ-NOUS VOS TATOUAGES !

NON, EN FAIT, ÇA IRA...
NE ME TOUCHEZ PAS !
POUR QUOI FAIRE ?!
...
ILS ONT L'AIR RÉGLO...
HUM...
DÉSHABILLEZ LA FILLE !
ENTREZ ! ON VA CHERCHER LE CHEF DU VILLAGE.
KSHHHH
MERCI D'ÊTRE VENUS...
NOBLES MAGICIENS...
KOF KOF !
LE CHEF DU VILLAGE DE L'ÎLE DE GALUNA MOKA.

JE VOUDRAIS VOUS MONTRER CECI.
QUE CHACUN RETIRE SA CAPE !
FSAP
FSAP
FSAP

VOUS DEVEZ ÊTRE SURPRIS...
EUH... CE N'EST PAS CE QUE JE VOULAIS VOUS MONTRER.
KOF
VOUS AVEZ DE SACRÉS FAVORIS !
GLOUPS
JE VOIS...

TOUS CEUX QUI VIVENT SUR CETTE ÎLE...
MÊME LES CHIENS ET LES OISEAUX...
SUBISSENT LA MALÉDICTION DE LA MÊME FAÇON.
KOF

QU'EST-CE QUI VOUS FAIT DIRE QU'IL S'AGIT BIEN D'UNE MALÉDICTION ?
ÇA NE POURRAIT PAS ÊTRE UNE MALADIE ?

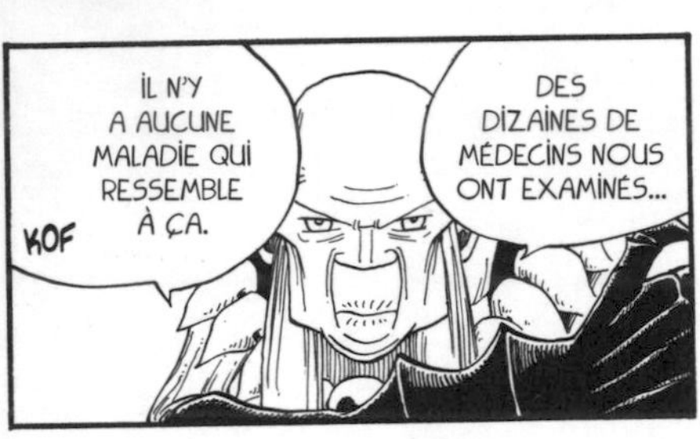
DES DIZAINES DE MÉDECINS NOUS ONT EXAMINÉS...
IL N'Y A AUCUNE MALADIE QUI RESSEMBLE À ÇA.
KOF

DE PLUS, CETTE MALÉDICTION EST LIÉE À LA MAGIE DE LA LUNE.

LA MAGIE DE LA LUNE ?

AVANT ÇA, DEPUIS LA NUIT DES TEMPS, NOTRE ÎLE RETENAIT LA LUMIÈRE DE LA LUNE...
TOUTE L'ÎLE BRILLAIT DE CETTE LUMIÈRE ET RESSEMBLAIT À UNE DEUXIÈME LUNE POSÉE SUR LA MER.

DU VIOLET ? J'AI JAMAIS VU UNE LUNE DE CETTE COULEUR !
HUM...
C'EST CE QUE DISENT TOUS LES ÉTRANGERS QUI VIENNENT ICI.
KOF KOF

MAIS, IL Y A DES ANNÉES DE CELA, LA LUNE A SUBITEMENT TOURNÉ AU VIOLET.

PLOP

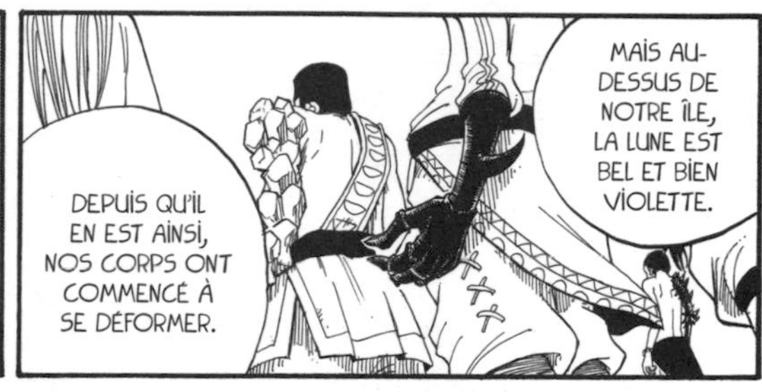
MAIS AU-DESSUS DE NOTRE ÎLE, LA LUNE EST BEL ET BIEN VIOLETTE.
DEPUIS QU'IL EN EST AINSI, NOS CORPS ONT COMMENCÉ À SE DÉFORMER.

C'EST LA MALÉDICTION DE LA MAGIE DE LA LUNE !

ELLE EST VRAIMENT VIOLETTE !
ÇA FOUT LES JETONS !

LA LUNE S'EST LEVÉE !

FSHAM
HEIN ?
AAARGH !
QUE ? QUOI ?
FSHOU
FSHOU
RAAAAAH !
AH !
QU'EST-CE QUI SE PASSE, ENCORE ?
TADAM

AAAAAH !

PARDONNEZ-NOUS DE VOUS AVOIR EFFRAYÉS.
QUAND LA LUNE VIOLETTE EST VISIBLE, NOUS PRENONS CETTE HORRIBLE APPARENCE DE DÉMON.
SI CE N'EST PAS UNE MALÉDICTION, QU'EST-CE QUE CELA PEUT BIEN ÊTRE ?

SNIF
SNIF
CE N'EST RIEN... ÇA VA ALLER.
BOU-HOU...
SNIRF ...

AU MATIN, NOUS REPRENDRONS NOTRE FORME HUMAINE.
MAIS CERTAINS D'ENTRE NOUS RESTERONT AINSI ET PERDRONT LEUR ÂME.
C'EST HORRIBLE...
NOUS AVONS PRIS LA DÉCISION DE LES TUER.
MAIS ILS POURRAIENT REDEVENIR NORMAUX !

SI NOUS NE LE FAISONS PAS, C'EST EUX QUI NOUS TUERONT.
KOF
ON A BIEN ESSAYÉ DE LES ENFERMER MAIS ILS ONT DÉTRUIT LEUR PRISON.

C'EST POUR CELA QUE J'AI DÛ TUER MON PROPRE FILS.
IL ÉTAIT DEVENU UN DÉMON SANS ÂME...
WOOOOOO

...
BOBO
?
MAIS...

HIER,
NOUS
SOMMES...
CHUT
!

J'AI
COMPRIS
POURQUOI
IL AVAIT
DISPARU.
SON ÂME
N'EST PAS
EN PAIX...

UN
FANTÔME
!

C'EST POURQUOI,
GRANDS MAGICIENS,
NOUS VOUS DEMANDONS
HUMBLEMENT DE SAUVER
NOTRE ÎLE.

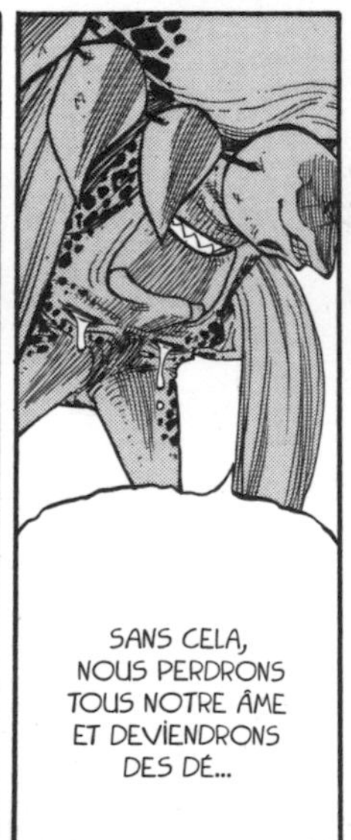
SANS CELA,
NOUS PERDRONS
TOUS NOTRE ÂME
ET DEVIENDRONS
DES DÉ...

ÇA
N'ARRIVERA
PAS
!

IL N'Y
A QU'UNE
FAÇON DE
LEVER NOTRE
MALÉDICTION...

VOUS DEVEZ DÉTRUIRE LA LUNE !
QUOI ?!

LA MAGIE DE LA LUNE VIOLETTE NOUS TRANSFORME AINSI...
PUIS NOUS VOLE NOTRE ÂME.

LA SEULE SOLUTION POUR LEVER LA MALÉDICTION...

C'EST DE DÉTRUIRE LA LUNE.

Jackal High

CHAPITRE 27 : DELIORA
FAIRY TAIL

FAIRY TAIL

PLUS JE REGARDE CETTE LUNE, ET MOINS JE L'AIME.
HAPPY ! FERME LA FENÊTRE, VITE ! TU AS ENTENDU CE QU'A DIT LE CHEF DU VILLAGE !
C'ÉTAIT QUOI DÉJÀ ?
IL A DIT QUE SI ON RESTAIT TROP LONGTEMPS SOUS LA LUNE, ON SERAIT MAUDITS, NOUS AUSSI.

QU'EST-CE QU'ON PEUT BIEN FAIRE ?
JE NE VOIS PAS COMMENT ON POURRAIT DÉTRUIRE CETTE FOUTUE LUNE...

HUM...

ON POURRAIT L'AVOIR EN BALANÇANT QUELQUE CHOSE.
ET TU CROIS VRAIMENT Y ARRIVER COMME ÇA ?

PERSONNE PEUT FAIRE UN TRUC PAREIL.
OUI, MOI AUSSI JE PENSE QUE C'EST IMPOSSIBLE, MÊME POUR UN MAGICIEN.

MAIS C'EST CE QUE LE CLIENT NOUS A DEMANDÉ.
SI ON DIT QU'ON NE PEUT PAS LE FAIRE, ON VA DISCRÉDITER LE NOM DE FAIRY TAIL.

À L'IMPOSSIBLE NUL N'EST TENU ! POUR COMMENCER, COMMENT TU VEUX ALLER SUR LA LUNE ?
AVEC HAPPY !
NON, ÇA, JE NE PEUX PAS !
VU CE QUE LA LUNE LEUR A FAIT, POUR EUX, LE PLUS SIMPLE EST DE LA DÉTRUIRE...
SI ÇA SE TROUVE IL Y A UNE AUTRE SOLUTION.

CE SERAIT BIEN.
BWOAAAAH !

GÉNIAL ! DEMAIN, ON FOUILLE L'ÎLE MAIS POUR L'INSTANT, ON VA SE COUCHER !
OK !
PLAF
PLAF

ON RÉFLÉCHIRA DEMAIN MATIN.
POUF

OUI. JE SUIS FATIGUÉE, MOI AUSSI.
BONNE NUIT !

ZZZZ
ROOOON !
ROOOON !

COMMENT JE PEUX DORMIR ENTRE CES DEUX PERVERS ?!
ZZZZ
ZZZZ
ROOOON !
ROOOON !
ARGH
ET EN PLUS, ILS RONFLENT ?

IL EST TÔT...
C'EST MÊME PAS ENCORE LE MATIN...
NE VOUS PLAIGNEZ PAS, MOI, JE N'AI PAS FERMÉ L'ŒIL DE LA NUIT !
DEBOUT, LE MATOU !
OK !

DÉJÀ DEBOUT ? C'EST D'ÊTRE ENTOURÉS DE DÉMONS QUI VOUS A EMPÊCHÉ DE DORMIR ?
PAS DU TOUT, EN FAIT, ON EST PLUS DU MATIN.

ON VOUDRAIT VISITER L'ÎLE AVANT DE DÉTRUIRE LA LUNE. VOUS POURRIEZ NOUS OUVRIR ?
QUOI ? ON VA VRAIMENT LA DÉTRUIRE ?!
ALLEZ-Y, PASSEZ.

SOYEZ PRUDENTS, LA FORÊT EST PLEINE DE...
AH, ILS SONT DÉJÀ PARTIS...

C'EST QUOI, CE DÉLIRE ?! HIER, VOUS AVIEZ DIT QU'ON POUVAIT PAS DÉTRUIRE LA LUNE !
OUI, C'EST IMPOSSIBLE MAIS JE NE POUVAIS PAS DIRE AUTRE CHOSE DEVANT LES VILLAGEOIS.

MÊME SI ON POUVAIT LA DÉTRUIRE, ON NE LE FERAIT PAS. SINON, PLUS PERSONNE NE VERRAIT UN CLAIR DE LUNE !

C'EST VRAI ! ON N'AURAIT PLUS NON PLUS DE STEAK SPÉCIAL PLEINE LUNE* !

NI LE POISSON-LUNE !

* *IL S'AGIT DU STEAK SUKIMI SERVI AVEC UN ŒUF SUR LE PLAT QUI LUI DONNE SA FORME DE LUNE.*

HÉ ! ON NE SAIT PAS SUR QUOI ON VA TOMBER ALORS, PARLEZ MOINS FORT !

TU POURRAIS MARCHER TOUTE SEULE, NON ?

C'EST COMME ÇA QUE TU UTILISES LES ESPRITS ?

VOUS DEMANDE-T-ELLE.

ON A AFFAIRE À UNE MALÉDICTION, PAS À QUELQU'UN. ÇA NE VOUS FAIT PAS PEUR ?
DEMANDE-T-ELLE...
ON EST VRAIMENT EN PLEINE S-QUEST !
SI LA MALÉDICTION PEUT ÊTRE CONGELÉE, POURQUOI J'AURAIS PEUR ?
VOUS ÊTES VRAIMENT STUPIDES...
DIT-ELLE.
JE PEUX VENIR, MOI AUSSI ?

CRATCH
CRATCH
HUM ?
C'ÉTAIT QUOI CE BRUIT ?
CRATCH
CRATCH
TA
DAM
COUIIIC !
!!

UNE SOURIS ?!
ELLE EST MONSTRUEUSE !
DÉBARRASSEZ-VOUS D'ELLE, VITE !
DIT-ELLE.
OUAIS !
DIT-IL.

FSAP
SALETÉ !
OMPF
ON DIRAIT QU'ELLE VA CRACHER UN TRUC !
BOUCLIER DE GLACE !

POUAH !
KOF
KOF

PLAF
AAAAAH !
?
?
HEIN ?
DE-MAN-DE...
QU'EST-CE QUI VOUS ARRIVE ?
NATSU ? PAUVRE VIEUX, C'EST VRAI QUE T'AS LE NEZ SENSIBLE !
...
ÇA PUE ! C'EST QUOI, CETTE ODEUR ?!
COUIC
COUIC
COUIC
ON DÉGAGE !
BADAM
BADAM
BADAM
AAAAAAH !
BADAM

BROOOOM
TADAM TADAM
TADAM TADAM
ARGH !
PATINOIRE OLYMPIQUE !
FSHAAA
ZUIP
!
BLAM

BIEN JOUÉ !
AH ?
REGARDEZ ! UN BÂTIMENT !
ON VA S'Y RÉFUGIER POUR LE MOMENT.
POUR LE MOMENT, NOUS, ON LA LATTE !
BAM BAM...
PAF
PIM
PLAM
PLAM
PLAM
PLAM
PAAAF
...

C'EST IMMENSE !
C'EST EN RUINE...
ÇA DATE DE QUAND, CE FOUTOIR ?

REGARDE, ON DIRAIT UN DESSIN AVEC LA LUNE.
ÎLS NOUS ONT DIT QU'AVANT ON APPELAIT CETTE ÎLE, L'ÎLE DE LA LUNE.

L'ÎLE DE LA LUNE, LA MALÉDICTION DE LA LUNE, LE SCEAU DE LA LUNE.
CES RUINES SONT TRÈS ÉTRANGES...
LUCY ! REGARDE, UN OS !
TU TE PRENDS POUR UN CHIEN, OU QUOI ?

C'EST VRAIMENT VIEUX. LE PLANCHER DOIT ÊTRE TOUT POURRI ?!

PAF
ARRÊTE ! NON !

べこん
BROOOM

BROM
Aucun caractère, ce plancher !
Abruti !
T'as déjà vu un plancher avec du caractère ?!
BROM
BROM
Happy ! Fais quelque chose !
Argh...
Je t'avais dit de ne pas jouer avec cet os !
AAAAAH !
AAAAAAAH !

POUAH

VOUS ALLEZ BIEN ?
HAPPY SE SENT MAL, MAIS C'EST PAS À CAUSE DE LA CHUTE !
...
...
POURQUOI TU RÉFLÉCHIS JAMAIS AVANT D'AGIR, NATSU ?!

DITES... ON EST OÙ LÀ, AU JUSTE ?
ARGH !
ARGH !

ON EST SOUS LE BÂTIMENT...
C'EST UNE GROTTE SECRÈTE !

ON VA L'EXPLORER !
JE L'AI EU !
SUPER !

HÉ ! VAS-Y DOUCEMENT, MAINTENANT !
OUA AAAH !
AH ?

QUOI ?
?!

QU'EST-CE QU'IL Y A ?

C'EST QUOI, CE TRUC ?

HEIN ?
AH...

!!!

OOOOO

Y A UN MONSTRE GÉANT CONGELÉ !
WOOOO

DELIORA
?!

JE NE LE CROIS PAS !
QU'EST-CE QU'IL FOUT ICI ?

HEIN ?

DELIO...
TU LE CONNAIS ?

C'EST PAS POS-SIBLE !
IL NE PEUT PAS ÊTRE ICI !

C'EST...
C'EST...
CALME-TOI, GREY.

GREY ?

...

C'EST DELIORA...
LE DÉMON DES CALAMITÉS...

C'EST QUOI, CETTE CHOSE ?

LE DÉMON DES CALAMITÉS ?

IL A PAS CHANGÉ DEPUIS LA DERNIÈRE FOIS.
QU'EST-CE QUE ÇA VEUT DIRE ?

TSAP TSAP TSAP
!

TSAP TSAP TSAP
CHUT !
QUELQU'UN ARRIVE.
PLANQUONS-NOUS !
POURQUOI ?
NE DISCUTE PAS !

J'AI ENTENDU DES VOIX PAR ICI.
MOUAIS...
TSAP
TSAP
CRITCH CRITCH
TSAP
TSAP
!!

JE SUIS FATIGUÉ QUAND IL FAIT JOUR...
MOUAIS ...

TU N'AURAIS PAS PRIS DES GOUTTES DE LUNE ?
TU AS DE DRÔLES D'OREIL-LES...
RAAAAH !
NON, J'EN AI PAS PRIS !

C'EST UN DÉGUISEMENT, PIGÉ ?

JE ME MOQUE DE TOI, C'EST TOUT.
MOUAIS...

DES GOUTTES DE LUNE ?
ILS PARLENT DE LA MALÉDICTION ?

YÛKA ! TOBY ! C'EST TROP TRISTE !
CHERRY ?
MOUAIS ?

QUELQU'UN A FAIT DU MAL À ANGELICA !
C'EST UNE SOURIS !

CE N'EST PAS UNE SIMPLE SOURIS. ANGELICA EST UNE CHASSEUSE DES TÉNÈBRES...
ET JE L'AIME.
ELLE EST PAS NETTE, CETTE FILLE !
ILS SONT PAS DE L'ÎLE. ILS ONT PAS LA MÊME ODEUR QUE LES AUTRES.
ET ILS N'ONT PAS L'AIR MAUDITS.
MÊME SI J'AI DES DOUTES POUR LE MEC AVEC LES OREILLES.
IL Y AURAIT DES INTRUS ?
PAPOM
QUEL MALHEUR ! JUSTE QUAND L'ÉCLAT DE LA LUNE EST SUR LE POINT DE SE CONCENTRER.

IL FAUT LES RETROUVER AVANT QUE L'EMPEREUR ZERO NE L'APPRENNE.
ET AVANT QUE LA LUNE NE SE LÈVE.
OUI !
MOUAIS...
S'ILS ONT VU DELIORA, ILS NE DOIVENT PAS PARTIR VIVANTS.
ILS CONNAÎTRONT LE SOMMEIL ÉTERNEL ET L'AMOUR...
PAS L'AMOUR, LA MORT, ON VA LES TUER !

POURQUOI ON LES A PAS CAPTURÉS POUR LES INTERROGER ?
C'EST TROP TÔT. ON DOIT EN SAVOIR PLUS SUR CETTE ÎLE.
...

ÇA DEVIENT COMPLIQUÉ.
C'EST QUI CES GENS, AU JUSTE ?

'TAIN... POURQUOI ILS ONT AMENÉ DELIORA ICI ?

JE VEUX DIRE, COMMENT ILS ONT PU LE SORTIR DE SA CELLULE ?
QUELLE CELLULE ?

IL ÉTAIT ENFERMÉ DANS LES MONTAGNES DE GLACE DU CONTINENT NORD.

HEIN ?

IL Y A DIX ANS, CE DÉMON IMMORTEL DÉVASTAIT LA RÉGION D'ISPAN.

OUI,
MON MAÎTRE DE
MAGIE A DONNÉ
SA VIE POUR
L'ENFERMER.

WOOoooooo

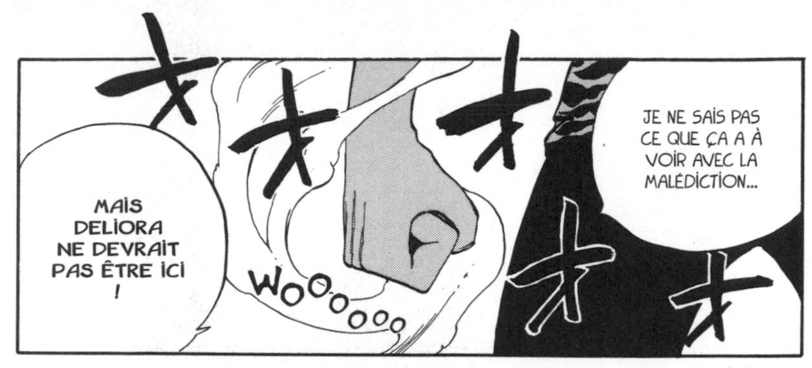
JE NE SAIS PAS CE QUE ÇA A À VOIR AVEC LA MALÉDICTION...
MAIS DELIORA NE DEVRAIT PAS ÊTRE ICI !
WOOOOOOO

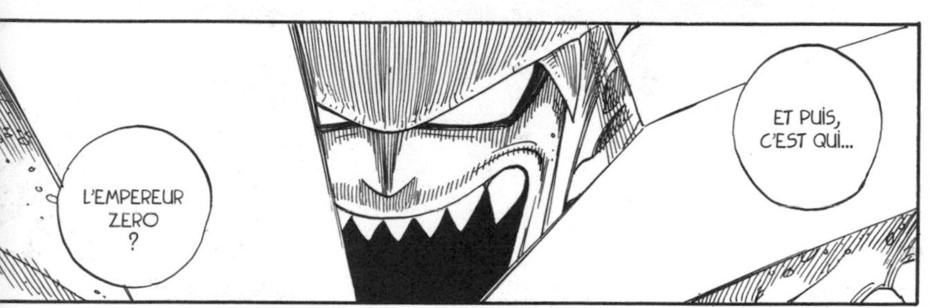
ET PUIS, C'EST QUI...
L'EMPEREUR ZERO ?

EN TOUT CAS, JE VAIS LUI APPRENDRE CE QU'IL EN COÛTE DE SALIR LE NOM D'OUL !
TADAM

FAIRY TAIL

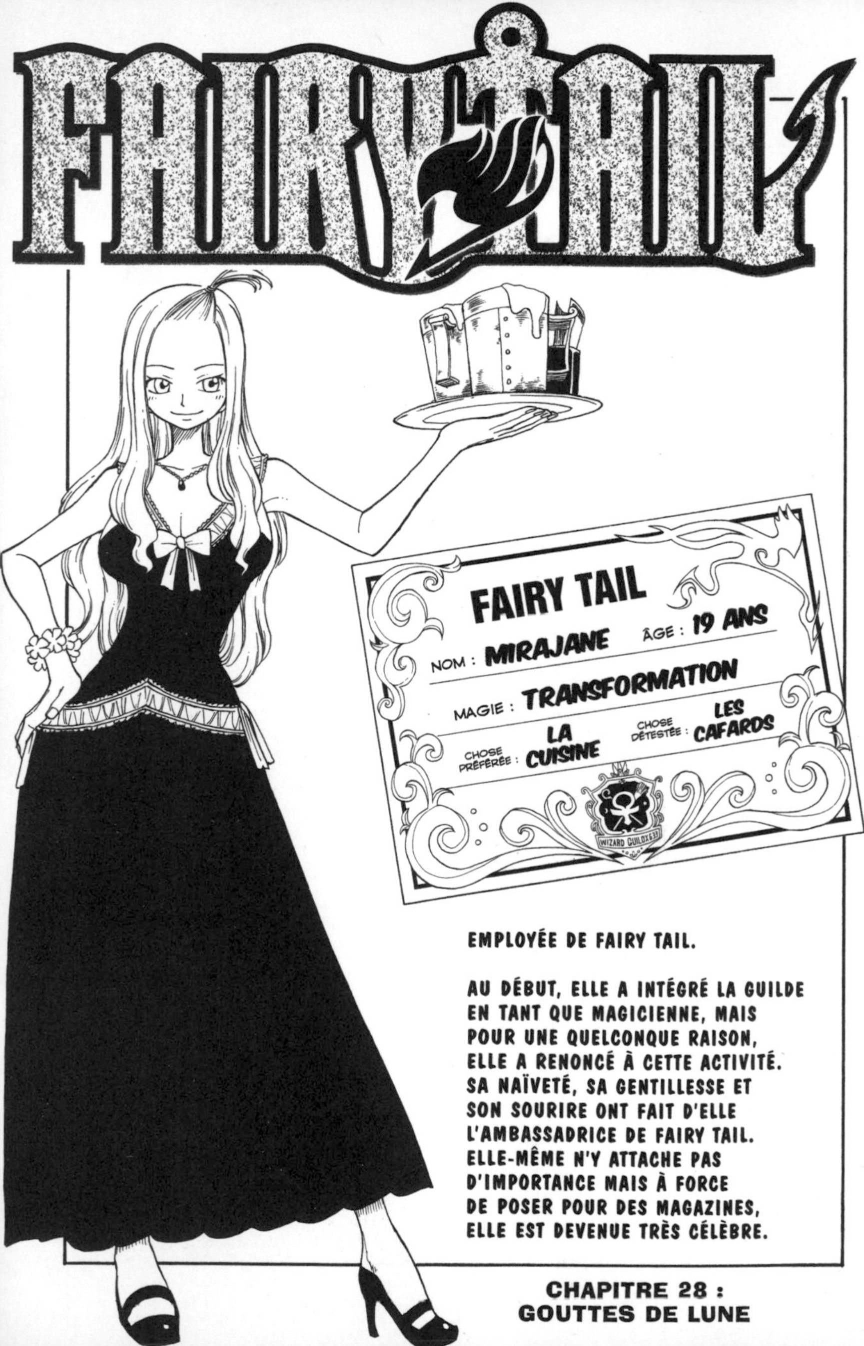

FAIRY TAIL
FAIRY TAIL
NOM : MIRAJANE
ÂGE : 19 ANS
MAGIE : TRANSFORMATION
CHOSE PRÉFÉRÉE : LA CUISINE
CHOSE DÉTESTÉE : LES CAFARDS
WIZARD GUILDX633
EMPLOYÉE DE FAIRY TAIL.
AU DÉBUT, ELLE A INTÉGRÉ LA GUILDE EN TANT QUE MAGICIENNE, MAIS POUR UNE QUELCONQUE RAISON, ELLE A RENONCÉ À CETTE ACTIVITÉ. SA NAÏVETÉ, SA GENTILLESSE ET SON SOURIRE ONT FAIT D'ELLE L'AMBASSADRICE DE FAIRY TAIL. ELLE-MÊME N'Y ATTACHE PAS D'IMPORTANCE MAIS À FORCE DE POSER POUR DES MAGAZINES, ELLE EST DEVENUE TRÈS CÉLÈBRE.

CHAPITRE 28 : GOUTTES DE LUNE

WOOOOOO

C'EST TON PROF QUI L'A ENFERMÉ ?
OUAIS...

IL ÉTAIT DANS LES RÉGIONS DU NORD ET ON L'A APPORTÉ ICI ?

SI ÇA SE TROUVE, C'EST LUI QUI EST DERRIÈRE LA MALÉDICTION DE L'ÎLE.
C'EST POSSIBLE.
IL EST TOUJOURS EN VIE.
OK !
DANS CE CAS, ON VA DÉMOLIR CE DÉMON !
FOUTCH
FOUTCH
POURQUOI TU VEUX TOU-JOURS TOUT RÉGLER PAR LA FORCE ?
HEIN?
!!
OUAAAAAH !
PLAAAF

PLAM
GREY ! SALETÉ !
QU'EST-CE QUI TE PREND ?!
T'ES UN MAGICIEN DU FEU ! NE T'APPROCHE PAS DE LUI !
SI LA GLACE FOND ET QUE DELIORA SE LIBÈRE, PERSONNE NE POURRA L'ARRÊTER !
ET TU CROIS QU'ELLE PEUT FONDRE AUSSI FACILEMENT ?
!!
...
NON...

ÇA VA ?
POURQUOI TU M'AS FRAPPÉ ?
CE QUE T'ES VIOLENT...
C'EST TOI QUI DIS ÇA ?

MON MAÎTRE L'A ENFERMÉ GRÂCE AU SORT DE LA GLACE ABSOLUE.

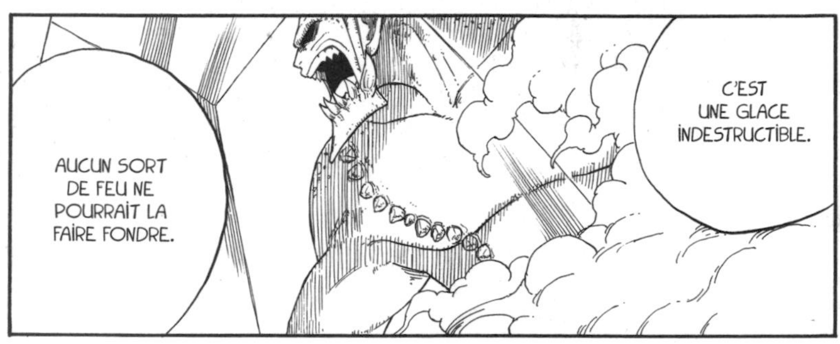
C'EST UNE GLACE INDESTRUCTIBLE.
AUCUN SORT DE FEU NE POURRAIT LA FAIRE FONDRE.

CE QUE JE COMPRENDS TOUJOURS PAS, C'EST POURQUOI ILS L'ONT AMENÉ ICI ?!

PEUT-ÊTRE QUE CEUX QUI L'ONT FAIT NE LE SAVENT PAS.

OUI, MAIS POURQUOI ILS L'ONT AMENÉ ICI ?!
JE... J'EN SAIS RIEN...

TSS...

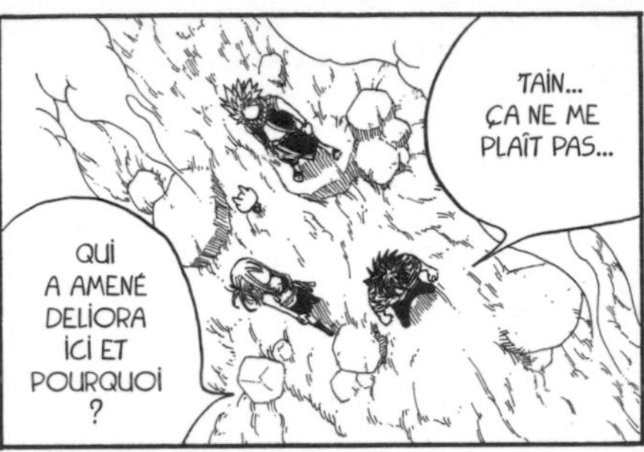
'TAIN... ÇA NE ME PLAÎT PAS...
QUI A AMENÉ DELIORA ICI ET POURQUOI ?

C'EST FACILE.
ON N'A QU'À SUIVRE LES MECS DE TOUT À L'HEURE POUR LE SAVOIR.

OUI !
NON !

ON VA RESTER LÀ...

?!

ET ATTENDRE QUE LA LUNE SE LÈVE.

LA LUNE ? ON EST ENCORE EN PLEIN JOUR ! MAIS JE PEUX PAS ATTENDRE AUSSI LONGTEMPS SANS RIEN FAIRE !
C'EST TON IDÉE, GREY ?!
TOUT À L'HEURE, ILS ONT PARLÉ DE CONCENTRER LA LUMIÈRE DE LA LUNE.
LA MALÉDICTION, DELIORA ET LA LUNE SONT LIÉS.

JE VOIS... TU VEUX SAVOIR CE QUI VA SE PASSER ET CE QUE LES AUTRES TRAFIQUENT.
JE M'EN FOUS, JE VAIS LES SUIVRE !
ROOOON
IL NE VIT VRAIMENT QUE POUR L'INSTANT PRÉSENT.
ROOOON
ROOOON
OUAIS !

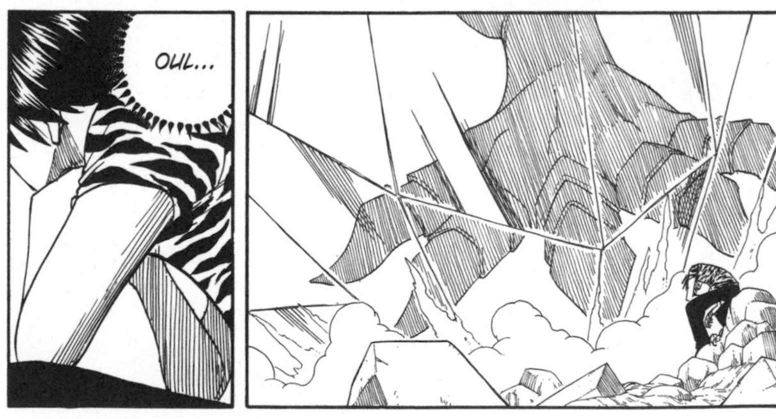
OUI...

EST-CE QUE TU SERAS CAPABLE DE ME SUIVRE, GREY ?
MON ENTRAÎNEMENT EST DUR, TU SAIS ?

OUAIS !
JE FERAI TOUT CE QUE VOUS ME DEMANDEREZ !

PFOU... Y EN A MARRE D'ATTENDRE...
JE M'ENNUIE...
OUAIS !

!!
PAF

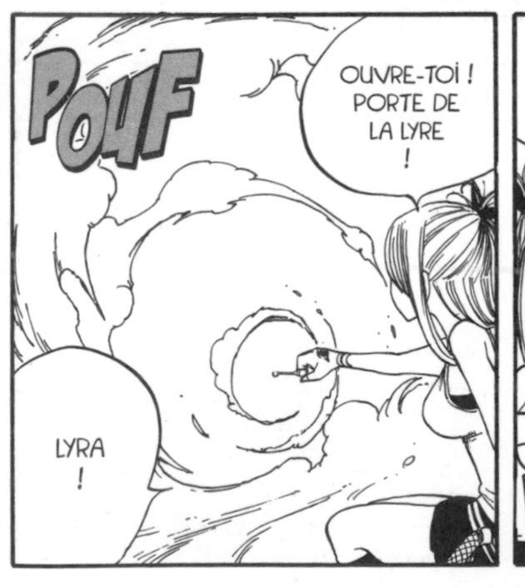
OUVRE-TOI ! PORTE DE LA LYRE !
POUF
LYRA !

OUAAAAAH ! ÇA FAISAIT LONGTEMPS, LUCY !
OUAIS !
JE NE PEUX PAS T'APPELER PLUS DE TROIS FOIS PAR MOIS.
TU NE M'APPELLES VRAIMENT PAS SOUVENT !
ENCORE UN ESPRIT ZARBI !
HEIN ?! AH OUI, C'EST VRAI !
QU'EST-CE QUE TU VEUX QUE JE TE CHANTE, AUJOURD'HUI ?
CE QUE TU VOUDRAS, JE TE FAIS CONFIANCE.
JE VEUX BIEN UNE CHANSON SUR LES POISSONS !
JE VAIS DONC VOUS CHANTER UNE CHANSON !
LYRA CHANTE TRÈS BIEN.
MIRAJANE AUSSI, ET EN PLUS, ELLE CONNAÎT DES CHANSONS SUR LES POISSONS.
BLING
BLING
BLING

BLONG
UN MOT QUI VIENT DE NAÎTRE...
BLING
BLING
OH !
UN MOT QUI DISPARAÎT...
BLONG

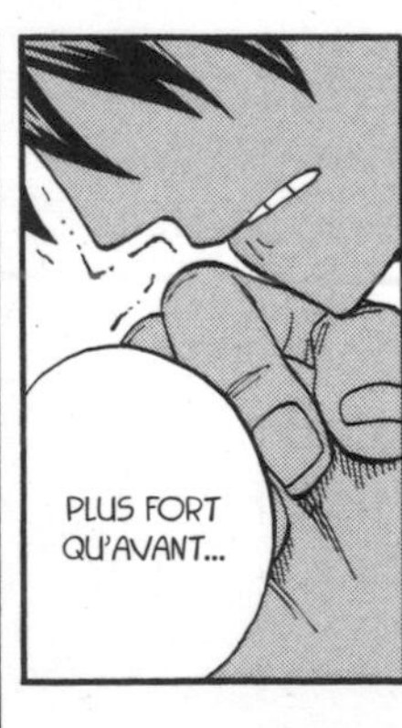

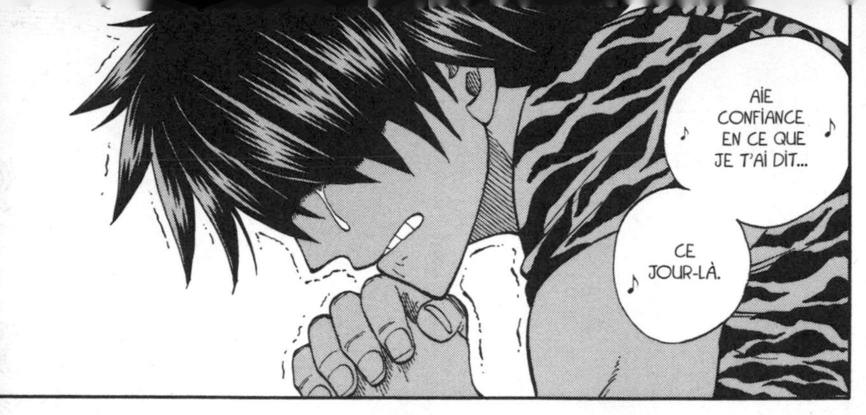
AIE CONFIANCE EN CE QUE JE T'AI DIT...
CE JOUR-LÀ.

TU PLEURES...

QUOI ?!

HEIN ?
HÉ !
GREY ?

WOOOOOOO

DING DONG

CHANTE QUELQUE CHOSE DE PLUS GAI, LYRA !
IL FALLAIT LE DIRE TOUT DE SUITE !
NON, ÇA PEUT ÊTRE DANGEREUX SI QUELQU'UN VIENT. TAIS-TOI.

LYRA SAIT TOUCHER LES GENS QUAND ELLE CHANTE.
GREY PLEURE !
JE NE PLEURE PAS !

WOOOOOM
C'EST QUOI, CE BRUIT ?
IL FAIT NUIT ?
TSAP
!!
WOOOOM
WOOOOM
WOOOOOM
MAIS...

UNE OUVERTURE !

LA LUMIÈRE EST VIOLETTE... C'EST LA LUNE !
QU'EST-CE QUE ÇA VEUT DIRE ? QU'EST-CE QUI SE PASSE ?

BWOOOOOM
LE RAYON DE LUNE FRAPPE DELIORA !
WOOOOM
ÇA NE PEUT PAS ÊTRE UN HASARD !
ON VA VOIR D'OÙ VIENT LA LUMIÈRE !
OK !

!!
IL Y A UN TROU AU MILIEU DES RUINES !
ÇA VIENT DE PLUS HAUT !
!!
C'EST QUOI, CE DÉLIRE ?
CHUT !
KOU-PE-RÂ...
KOU-RA-KÂ...

JE-RAM...
SEM... DIOL-NA...
KOU-PE-RÂ...
KOU-RA-KÂ...

REGARDEZ ! ÎLS CONCENTRENT VRAÎMENT LA LUMÎÈRE DE LA LUNE !

POURQUOI ÎLS L'ENVOÎENT SUR DELÎORA ?

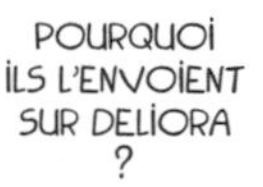

T'ES ENCORE LÀ, TOI ?
C'EST DU BERIEN. L'INVOCATION DES GOUTTES DE LUNE.

JE VOIS... C'ÉTAIT DONC ÇA...

C'EST IMPOSSIBLE, LA GLACE ABSOLUE EST INDESTRUCTIBLE !

ILS UTILISENT LES GOUTTES DE LUNE POUR RÉVEILLER CE DÉMON.
QUOI ?!

LES GOUTTES DE LUNE PEUVENT LA DÉTRUIRE.
LA MAGIE LUNAIRE CONCENTRÉE PEUT CONTRER N'IMPORTE QUEL SORT.

ILS CONNAISSENT PAS LA PUISSANCE DE DELIORA OU QUOI ?

QUOI ?!

CE QUE LES HABITANTS DE L'ÎLE PRENNENT POUR UNE MALÉDICTION N'EST QU'UN EFFET DES GOUTTES DE LUNE.
C'EST UN SORT ASSEZ PUISSANT POUR PERVERTIR LE CORPS HUMAIN.

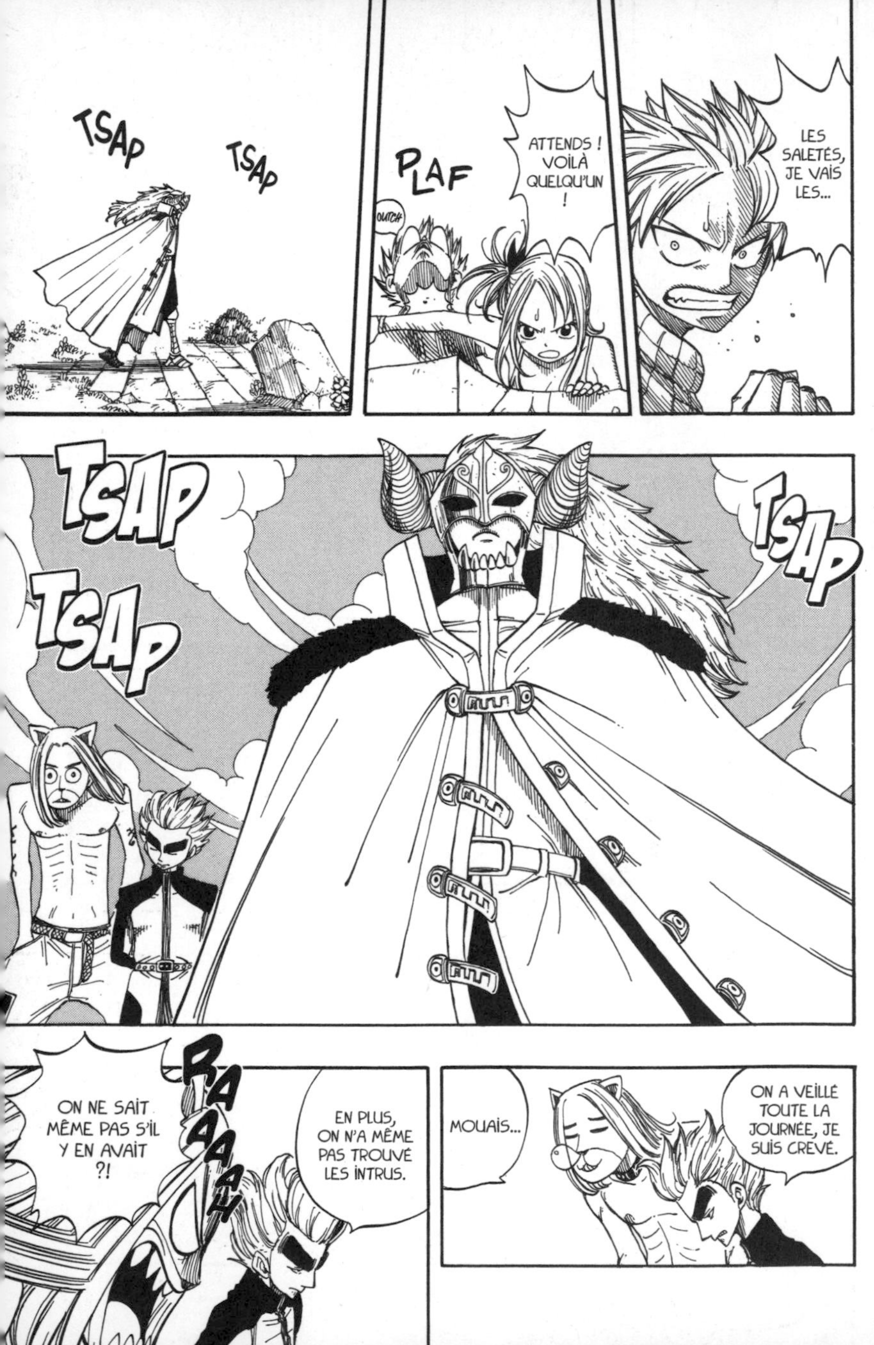
LES SALETÉS, JE VAIS LES...
ATTENDS ! VOILÀ QUELQU'UN !
OUTCH
PLAF
TSAP
TSAP
TSAP
TSAP
TSAP
ON A VEILLÉ TOUTE LA JOURNÉE, JE SUIS CREVÉ.
MOUAIS...
EN PLUS, ON N'A MÊME PAS TROUVÉ LES INTRUS.
ON NE SAIT MÊME PAS S'IL Y EN AVAIT ?!
RAAAAAH

MAUVAISE NOUVELLE, EMPEREUR ZERO.

IL Y A EU DES INTRUS, AUJOURD'HUI...
MAIS ILS NOUS ONT ÉCHAPPÉ.
JE N'AI MÊME PAS PU LEUR PARLER D'AMOUR.

DES INTRUS...

!!
C'EST LUI, L'EMPEREUR ZERO ?
IL A L'AIR IMPORTANT. T'AS VU SON MASQUE ?
IL A UN SUPER LOOK, JE TROUVE !

DELIORA N'EST TOUJOURS PAS RÉVEILLÉ ?
SI CELA CONTINUE, COMME ÇA, AUJOURD'HUI OU DEMAIN SÛREMENT...
FAUDRAIT SAVOIR !

PAS LA PEINE DE S'ÉNERVER, ON S'ADAPTERA...

...

À PROPOS DE CES INTRUS, JE NE VOUDRAIS PAS QU'ILS VIENNENT NOUS DÉRANGER.
BIEN SÛR...
ILS DEVAIENT SÛREMENT VENIR DU VILLAGE...

ALORS, DÉTRUISEZ-LE !

BIEN !

À VOS ORDRES !

OUAIIIIIS !

TSAP

QUOI ?!

LES VILLAGEOIS N'ONT RIEN À VOIR LÀ-DEDANS !

QU'EST-CE QU'ON FAIT ?

JE N'AIME PAS VERSER LE SANG, MAIS...

CETTE VOIX...

NON...

C'EST PAS VRAI...

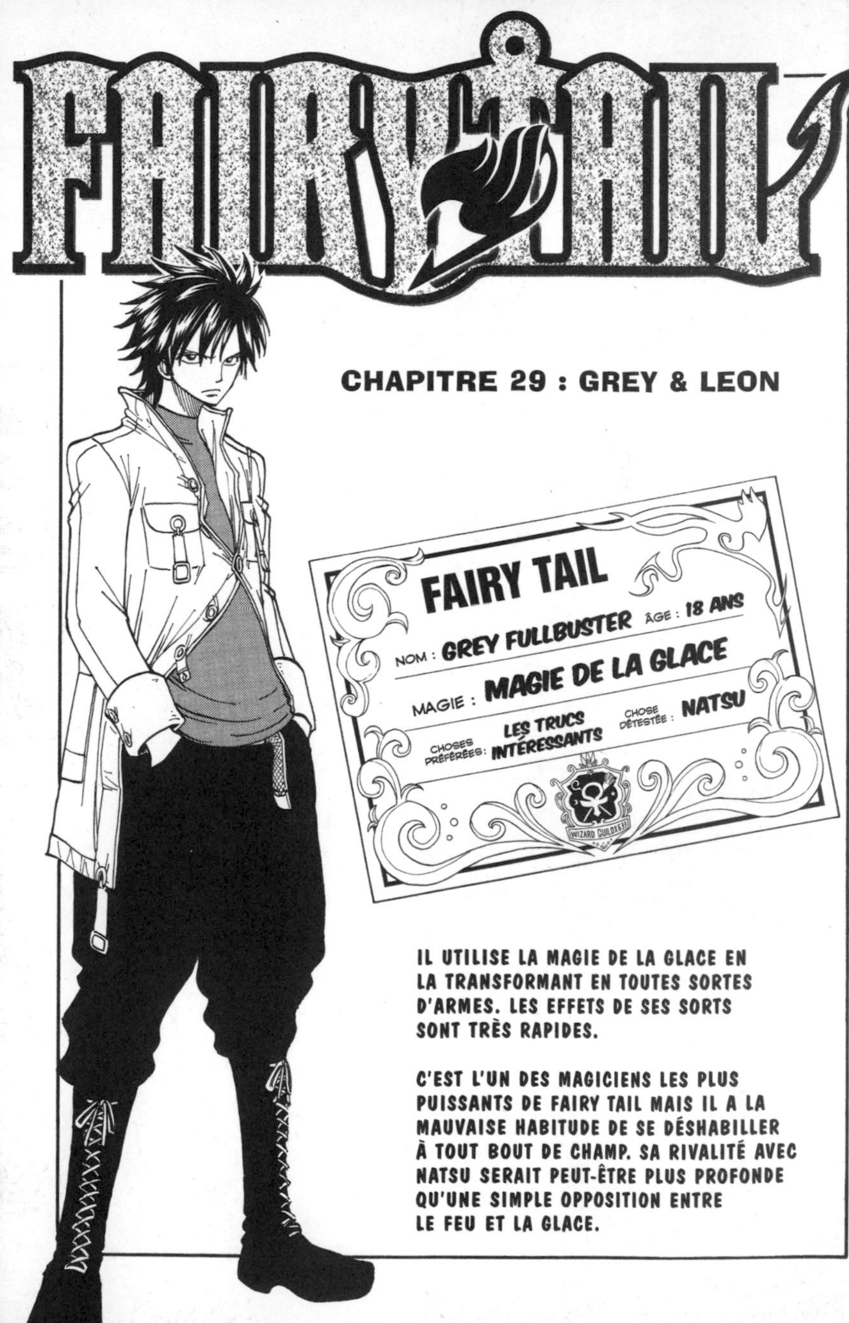
FAIRY TAIL
CHAPITRE 29 : GREY & LEON
FAIRY TAIL
NOM : GREY FULLBUSTER ÂGE : 18 ANS
MAGIE : MAGIE DE LA GLACE
CHOSES PRÉFÉRÉES : LES TRUCS INTÉRESSANTS
CHOSE DÉTESTÉE : NATSU
WIZARD GUILD X633
IL UTILISE LA MAGIE DE LA GLACE EN LA TRANSFORMANT EN TOUTES SORTES D'ARMES. LES EFFETS DE SES SORTS SONT TRÈS RAPIDES.
C'EST L'UN DES MAGICIENS LES PLUS PUISSANTS DE FAIRY TAIL MAIS IL A LA MAUVAISE HABITUDE DE SE DÉSHABILLER À TOUT BOUT DE CHAMP. SA RIVALITÉ AVEC NATSU SERAIT PEUT-ÊTRE PLUS PROFONDE QU'UNE SIMPLE OPPOSITION ENTRE LE FEU ET LA GLACE.

ALLEZ DÉTRUIRE LE VILLAGE !

D'AC-CORD !
À VOS ORDRES !
OUAIS !

QUOI ?!
LES VILLAGEOIS N'ONT RIEN À VOIR LÀ-DEDANS !
QU'EST-CE QU'ON PEUT FAIRE ?
ON N'A PAS LE CHOIX !

JE N'AIME PAS VERSER LE SANG...

CETTE VOIX...
NON...
C'EST PAS VRAI ?!

J'EN AI MARRE DE RESTER LÀ SANS RIEN FAIRE !

C'EST NOUS
LES INTRUS QUE
VOUS CHERCHEZ
!
AAAAAAAAAH

MAINTENANT, ON N'A PLUS LE CHOIX.
TLING

CE SYMBOLE... ILS SONT DE FAIRY TAIL...

JE VOIS. LES VILLAGEOIS ONT APPELÉ UNE GUILDE À LA RESCOUSSE.

QU'EST-CE QUE VOUS ATTENDEZ POUR ALLER DÉTRUIRE LE VILLAGE ?

HEIN ?

LES GÊNEURS ET CEUX QUI Y ONT FAIT APPEL...

SONT TOUS NOS ENNEMIS.

KÔÂÂÂÂÂ ?!

!
POUR-
RITURE
!
TAAAAAP
FSHOOO
TU VAS
ARRÊTER
CE RITUEL,
C'EST PAS
CARNAVAL
!
CLING
CLING
CLING !
CLING

DE LA GLACE ?
TSAP
TSS !
LUI AUSSI, IL EN A ?!
CLIIIING

CHLIIIING

LEON...
T'AS CONSCIENCE DE CE QUE TU FAIS ?
HEIN ?
HÉ HÉ...
ÇA FAISAIT LONGTEMPS, GREY.
HEIIIIN ?
ILS SE CONNAIS-SENT ?!
À QUOI ÇA RIME, TOUT ÇA ?!
C'EST DONC TOI, LE MAGICIEN QUE LES VILLAGEOIS ONT FAIT VENIR...
TU ÉTAIS AU COURANT, OU N'EST-CE QU'UN HASARD ?
BAH, PEU IMPORTE...

L'EMPEREUR ZERO LE CONNAÎT ?
MOUAIS !
ALLEZ-VOUS-EN ! JE M'OCCUPE D'EUX.
D'ACCORD !
OUAIS !
VOUS IREZ NULLE PART !
TA
NATSU ! NON ! NE BOUGE PAS !
QUOI ?!
ヒョオオオオオ
FSHOUUU
HEIN ?
AAAH !
AAAH !

FSHOUU
OUAH !
HAPPY ! OCCUPE-TOI DE LUCY !
OK !
HÉ !
TSAP
RAA AAH !
CLING CLING
CLING
!!
CHLING
TAÏN ! JE PEUX PLUS BOUGER !
TING
TING TING
HAPPY, VA CHERCHER NATSU !

IL A ÉTÉ PRIS DANS UN FLOT DE MAGIE FROIDE.
SI ON ÉTAIT RESTÉS, ON AURAIT AUSSI ÉTÉ EMPRISONNÉS.
MAIS NATSU VA...
SI ON SE FAIT TOUS AVOIR, QUI VA PROTÉGER LE VILLAGE ?!
SNIRF
HAPPY...

EXCUSE-MOI... TOI AUSSI, TU VOUDRAIS ALLER AIDER NATSU...

IL VA S'EN SORTIR ! LA GLACE NE PEUT RIEN CONTRE SALAMANDER !

OK !

TU AS PROFITÉ D'UNE FAILLE POUR SAUVER LA FILLE ET LE CHAT...
TANT PIS... CHERRY ET LES AUTRES S'EN CHARGERONT.
SOUS-ESTIME PAS LES MAGES DE FAIRY TAIL !

POC
?
?

OUAAAAAAAAAAAH !

BROOOOOM

BROOOOOM

QU'EST-CE QUE TU FOUS, GREY ?!

TU ES TOUJOURS AUSSI STUPIDE.
C'ÉTAIT TON AMI, NON ?!
SI TU LE VOULAIS, TU POURRAIS DÉTRUIRE CETTE GLACE ET CE QUI EST DEDANS, PAS VRAI ?
JE VOIS... TU L'AS ENVOYÉ HORS DE PORTÉE DE MES SORTS.
BIEN JOUÉ...
ÇA SUFFIT. ARRÊTE DE ME PRENDRE DE HAUT !

LEON !
TU N'ES PLUS LE DISCIPLE D'OUL !
TOI NON PLUS, GREY.
TSAP
OUL N'EST PLUS DE CE MONDE.
ELLE A DONNÉ SA VIE POUR ENFERMER DELIORA !
ET TOI, TU VEUX DÉTRUIRE CE POUR QUOI ELLE S'EST SACRIFIÉE ?!

TA MÉMOIRE TE JOUE DES TOURS. C'EST TOI QUI L'AS TUÉE...
GREY !
COMMENT AS-TU PU VIVRE AVEC ÇA ?!

RAAAAH

J'ARRIVE PAS À LA FAIRE FONDRE ! C'EST QUOI, CETTE GLACE ?!
PSHHHHHH

GREY, SALETÉ !
TU VAS ME LE PAYER !

JE VERRAI ÇA PLUS TARD. JE DOIS FILER AU VILLAGE !
TAP TAP TAP TAP
'TAIN ! J'ARRIVE PAS À COURIR !

FSHOUUUU

QU'EST-CE QUE VOUS VOULEZ FAIRE SUR CETTE ÎLE ?
T'OCCUPE, TIENS BON LA BARRE !

AH !

VOUS NE COMPRENEZ PAS ?
CETTE ÎLE EST MAUDITE !
IL PARAÎT QUE SES HABITANTS SONT DES DÉMONS !

JE M'EN FOUS !

JE VAiS CHERCHER DES HORS-LA-LOi QUi ONT ENFREiNT LES LOiS DE FAiRY TAiL...
C'EST TOUT.

FAIRY TAIL
FAIRY TAIL
NOM : ERZA SCARLETT
ÂGE : 19 ANS
MAGIE : CHEVALERIE
CHOSES PRÉFÉRÉES : LES ARMES ET LES ARMURES
CHOSE DÉTESTÉE : LE MAL
WIZARD GUILD
C'EST LA FEMME LA PLUS FORTE DE FAIRY TAIL. C'EST POUR ÇA QU'ON L'APPELLE ERZA, LA REINE DES FÉES.
SA MAGIE LUI PERMET DE CHANGER RAPIDEMENT D'ARME ET D'ARMURE. ELLE EST PLUS DISCIPLINÉE QUE LES AUTRES MEMBRES DE LA GUILDE ET JOUE SOUVENT LE RÔLE DE GENDARME. ELLE EST HABITUELLEMENT VÊTUE D'UNE ARMURE DE CHEZ HEART KREUZ, UN COUTURIER EN VOGUE CHEZ LES JEUNES FEMMES. À L'ORIGINE, IL NE FAISAIT PAS D'ARMURE MAIS QUAND ERZA LUI EN A DEMANDÉ UNE, IL N'A PAS OSÉ LUI REFUSER. D'AILLEURS, IL LUI EN FABRIQUE UNE EN CE MOMENT.

CHAPITRE 30 : LE RÊVE CONTINUE

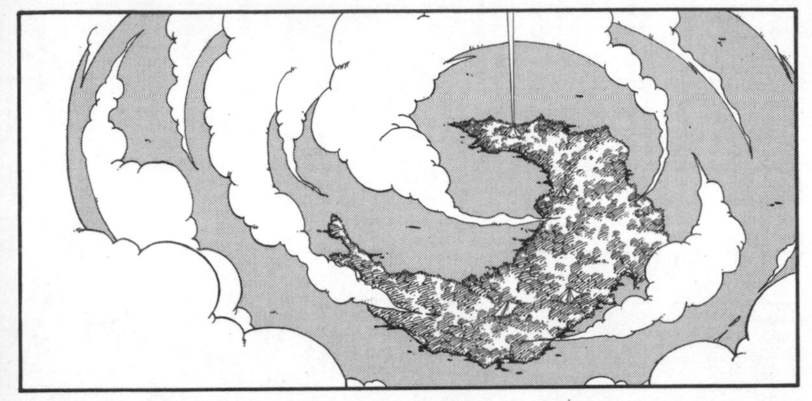

WOOOOOO

C'EST TOI QUI AS TUÉ OUL...
GREY...

ET TU NE DEVRAIS MÊME PAS PRONONCER SON NOM !
TSAC

ARGH !
PLAM

BRAAAM

NON... LEON...

QU'EST-CE QUE TU AS ? TU CULPABILISES, ÇA T'EMPÊCHE DE TE BATTRE ?
ALORS, LAISSE-MOI RÉVEILLER DELIORA COMME JE LE VEUX !

SÛREMENT PAS !
TRÈS BIEN.
PLAM
ALORS, BATTONS NOUS COMME AU BON VIEUX TEMPS.

AIGLES... DE GLACE !
BOUCLIER... DE GLACE !

FSHOU
!!
FSHOU
FSHOU
TA SPÉCIALITÉ, C'EST LA GLACE MATÉRIELLE. LA GLACE INERTE.
LA MIENNE, C'EST LA GLACE VIVANTE, LA GLACE MOBILE.
FSHRAAAAAAA
JE PEUX AINSI MODIFIER SA TRAJECTOIRE...
FSHRAAA
AAAAAH !

FOUTCH
MAR-TEAU... DE GLACE !
WOOOM
GORILLE... DE GLACE !
BRAOOOM

TU N'ARRIVERAS À RIEN.
TU AS BESOIN DE TES DEUX MAINS POUR LANCER TES SORTS.

BLIIING

C'EST CE QU'OUL NOUS A APPRIS.
ELLE DISAIT QU'AVEC UNE SEULE MAIN, LA GLACE ÉTAIT IMPARFAITE.

C'EST DIFFÉRENT POUR MOI.
JE SUIS PLUS PUISSANT QU'ELLE.

PRÉTENTIEUX !

TU L'ES BIEN PLUS QUE MOI.
M'AS-TU VAINCU NE SERAIT-CE QU'UNE SEULE FOIS ?

PLA
AF
CE N'EST PLUS COMME AVANT !
GEYSER DE GLACE !
BROOOOOOM

NON, RIEN N'A CHANGÉ.
!!
J'ÉTAIS SON APPRENTI AVANT TOI.
JE SUIS PLUS PUISSANT.
JE PEUX INVOQUER LA GLACE D'UNE SEULE MAIN...
ET PAS TOI.
RIEN N'A CHANGÉ.
MÊME SI NOS ROUTES SE SÉPARENT...
POUR NOUS, LE TEMPS EST FIGÉ DANS LA GLACE.
FSHAAAA

AAAAAAAH !

BROOOOOOOM

JE VAIS LEVER LE SORT...

POUR REPRENDRE MA QUÊTE...

PAM

OUATCH !

OUI, ÉTAIT MON MODÈLE...
JE RÊVAIS DE LA SURPASSER !

MAIS EN LA TUANT, TU M'AS EMPÊCHÉ DE RÉALISER MON RÊVE.
JE NE POURRAIS JAMAIS PROUVER MA SUPÉRIORITÉ.

JE N'AI PLUS QU'UNE SEULE SOLUTION.

...

OUL N'A PU VAINCRE DELIORA...
ET SI MOI, J'Y ARRIVE...

JE TIENDRAIS ENFIN LA PREUVE DE MA SUPÉRIORITÉ !
ET MON RÊVE SERA ACCOMPLI !

SÉRIEUX ?!
C'EST ÇA, QUE TU VEUX ?
TU DEVRAIS POURTANT CONNAÎTRE LA PUISSANCE DE DELIORA !

HEIN ?

ARRÊTE...
T'Y ARRIVERAS JAMAIS...

RAH !

AAAAAAAAAH !
FSHAAAAAA
AAAH !
ARRÊTE, T'Y ARRIVERAS JAMAIS !
C'EST CE QUE NOUS T'AVIONS DIT, NOUS AUSSI, GREY !
FSHAAA
L'AURAIS-TU OUBLIÉ ?!

C'EST PARCE QUE TU AS DÉFIÉ DELIORA QU'OUL EST MORTE !
FSHAAAAA
BLAAAM
TU N'AS PLUS LE DROIT...
DE PRONONCER SON NOM !
DIS-PARAIS...
À TOUT JAMAIS !

ÇA CRAINT !
IL T'A SALEMENT BATTU...
TSING
TSING
TSING
TSING

NATSU ?
QU'EST-CE QUE TU FOUS LÀ ?

JE NE SAIS PAS OÙ EST LE VILLAGE. ALORS, JE SUIS MONTÉ POUR ME REPÉRER.
FSAP
C'EST PAR LÀ. ON Y VA.

ET LEON ?
J'EN SAIS RIEN. IL N'Y A PLUS PERSONNE. ILS ONT FINI LEUR RITUEL.
'TAIN ! S'ILS FONT DU MAL À LUCY, CE SERA DE NOTRE FAUTE.
FSAP

ARRÊTE ! TU NE PEUX PAS VAINCRE DELIORA !
T'Y ARRIVERAS JAMAIS, GREY !
JAMAIS DE LA VIE ! JE VEUX FAIRE UNE S-QUEST !
À VOTRE NIVEAU, C'EST PAS POSSIBLE ! C'EST TOUT SAUF UNE S-QUEST.
NATSU...
OUAIS ?
J'AVAIS PAS DE LEÇON À TE DONNER...
VRAIMENT PAS...

RAAAAH !
BAISSE PAS LES BRAS PARCE QUE TU T'ES FAIT LATTER !
ON EST DE FAIRY TAIL !

LA GUILDE QUE RIEN N'ARRÊTE !

TANT QU'ON AVANCE, ON N'EST PAS MORTS !

TAP

TAP

TAIN ! C'EST VRAIMENT PAS PRATIQUE POUR COURIR !

VOILÀ TOUTE L'HISTOIRE.

CEUX QUI VONT NOUS ATTAQUER SONT RESPONSABLES DE LA MALÉDICTION.

C'EST L'OCCASION DE LES CAPTURER ET DE LEUR DEMANDER COMMENT ANNULER CE SORT.

BLA
BLA

BLA
BLA

TU PARLES DE LES CAPTURER, MAIS CE SONT PEUT-ÊTRE DES MAGICIENS. ÇA RISQUE DE NE PAS ÊTRE SIMPLE.

C'EST VRAI QU'ON EST PLUS NOMBREUX, MAIS ON N'A PAS DE MAGES AVEC NOUS...
TU NE VAS PAS TE BATTRE, QUAND MÊME ?!

!

JE VIENS D'AVOIR UNE SUPER IDÉE ! ♡

PLAF

À SUIVRE...

C'EST LES PAGES BONUS

UNE PAGE D'OUVERTURE

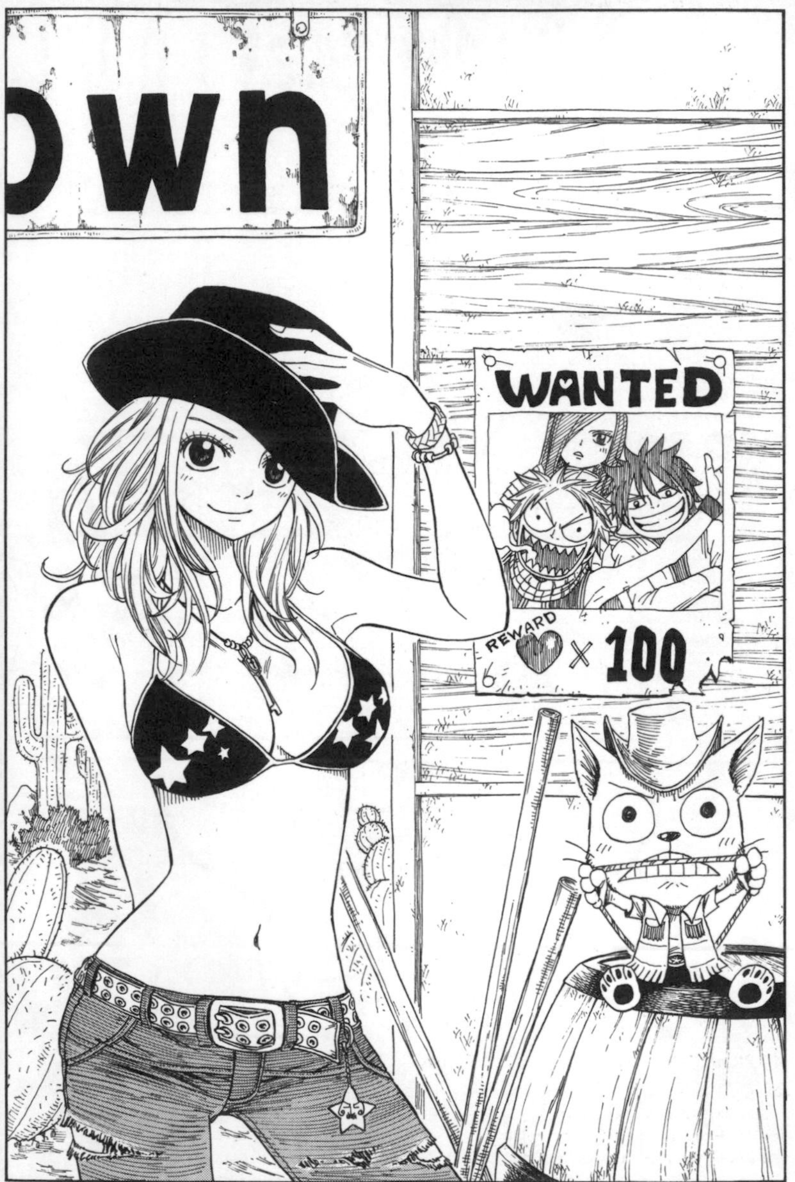

Il y avait déjà beaucoup de Lucy, du coup, on n'a pas utilisé cette illustration.

NOUVEAU MODÈLE DE VOITURE MAGIQUE À LOUER !

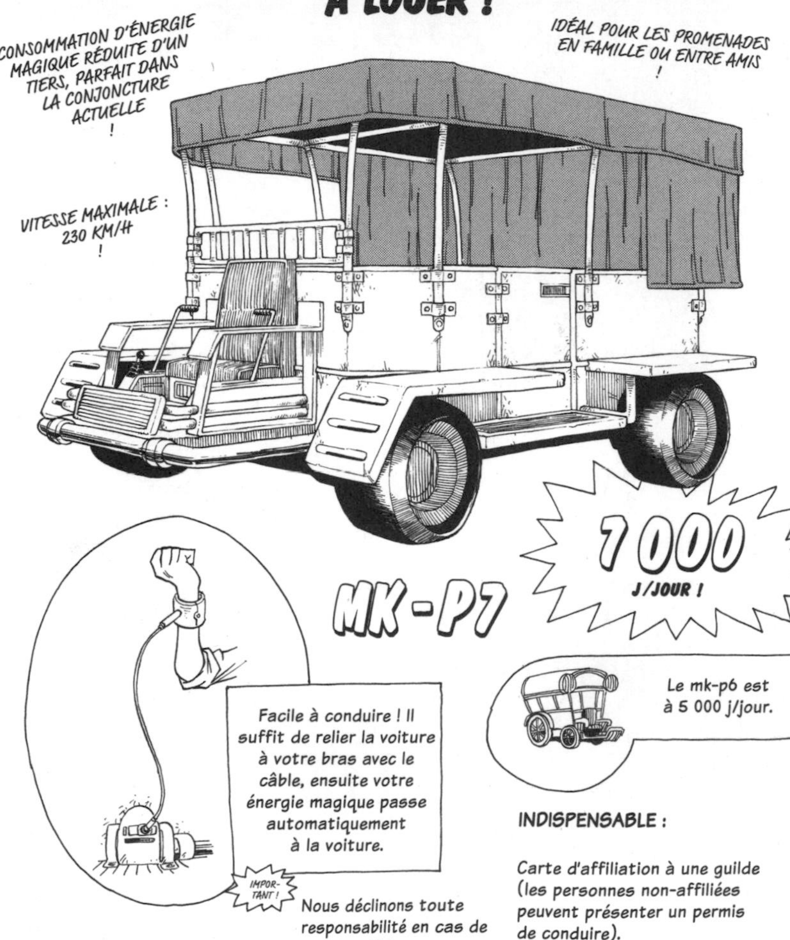

CONSOMMATION D'ÉNERGIE MAGIQUE RÉDUITE D'UN TIERS, PARFAIT DANS LA CONJONCTURE ACTUELLE !
IDÉAL POUR LES PROMENADES EN FAMILLE OU ENTRE AMIS !
VITESSE MAXIMALE : 230 KM/H !
7 000 J/JOUR !
MK-P7
Le mk-p6 est à 5 000 j/jour.
Facile à conduire ! Il suffit de relier la voiture à votre bras avec le câble, ensuite votre énergie magique passe automatiquement à la voiture.
IMPORTANT !
Nous déclinons toute responsabilité en cas de malaise dû à un manque d'énergie magique.
INDISPENSABLE :
Carte d'affiliation à une guilde (les personnes non-affiliées peuvent présenter un permis de conduire).

À NOS CHERS CLIENTS !

LE PROJET DE MISE EN VENTE DE LA VOITURE MAGIQUE EST LANCÉ !

Jusqu'à présent, ce modèle était réservé à la location mais au vu de son succès, nous avons décidé de le mettre en vente ! Il reste juste à résoudre le problème de l'évaporation de l'énergie magique. Nos techniciens se penchent actuellement sur ce problème et nous pourrons bientôt vous annoncer une date de commercialisation !

ONIBAS MOTORS

ILLUSTRATION PRÉPARATOIRE

C'est un dessin que j'ai fait pour montrer l'ambiance dans l'auberge de la guilde. C'était au tout début du projet. Il y a deux chats qui ressemblent à Happy avec des ailes à la place des pattes avant. Mirajane joue de la guitare. Derrière elle, on croit voir Natsu, mais c'est pas lui, regardez bien la coupe de cheveux. À l'époque, Mirajane devait chanter au moins dans le premier chapitre et je m'étais donné du mal pour écrire sa chanson, mais finalement on a retiré la scène. Bah... comme ça, personne ne saura que je ne suis pas doué pour écrire des chansons...

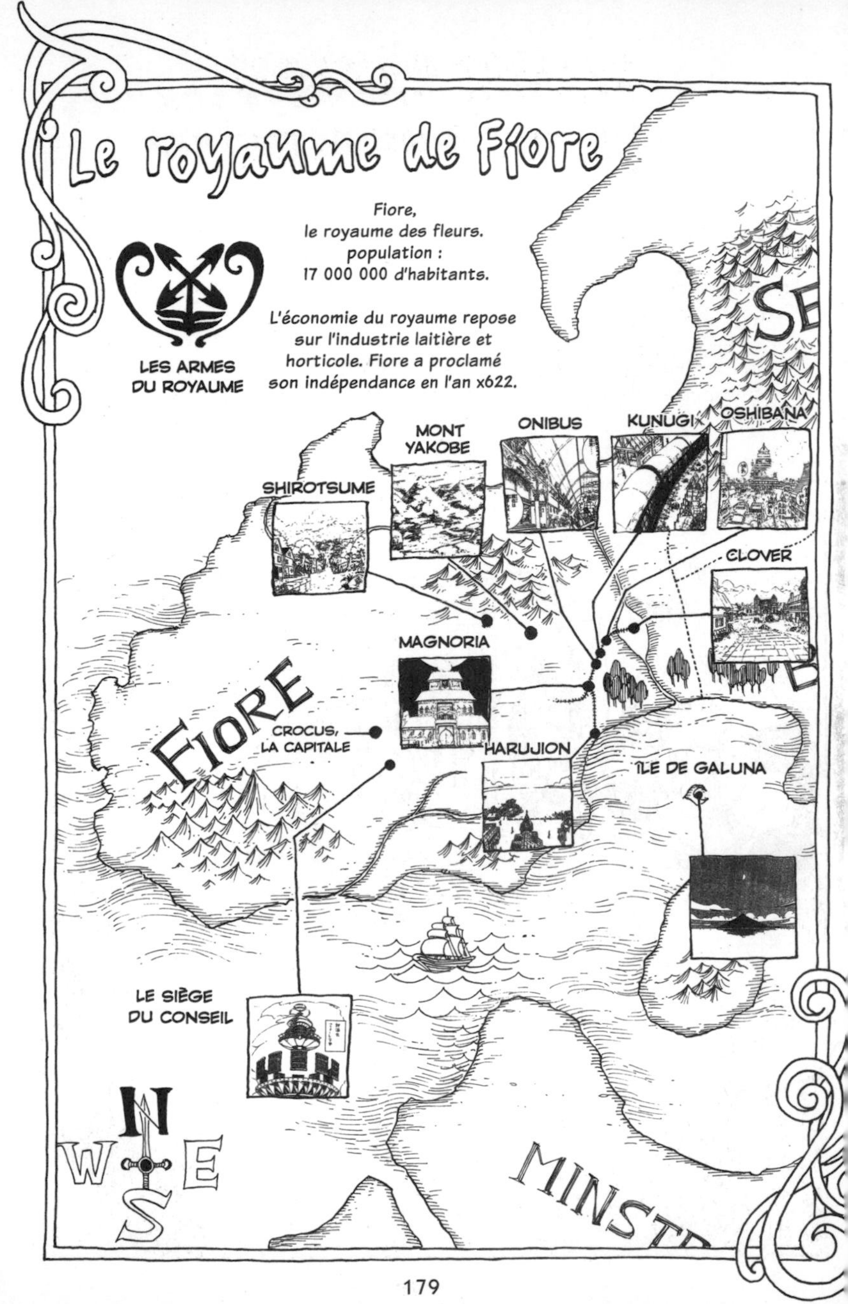
Le royaume de Fiore
Fiore,
le royaume des fleurs.
population :
17 000 000 d'habitants.
L'économie du royaume repose
sur l'industrie laitière et
horticole. Fiore a proclamé
son indépendance en l'an x622.
LES ARMES
DU ROYAUME
MONT
YAKOBE
ONIBUS
KUNUGI
OSHIBANA
SHIROTSUME
CLOVER
MAGNORIA
FIORE
CROCUS,
LA CAPITALE
HARUJION
ÎLE DE GALUNA
LE SIÈGE
DU CONSEIL
N
W
E
S
MINSTR

COLLECTION DES ARMURES MAGIQUES D'ERZA

DÉSOLÉE,
IL N'Y EN A PAS
BEAUCOUP...

!!

ARMURE DE LA NATURE

Elle permet d'utiliser plusieurs armes à la fois.

ATTAQUE : ☆☆☆★★
DÉFENSE : ☆☆☆★★
VITESSE : ☆☆★★★
PORTÉE : ☆☆☆☆☆

JE VAIS TE DÉMOLIR !

ARMURE DE L'EMPEREUR DU FEU

Elle résiste au feu. Elle réduit les dommages dûs aux flammes de Natsu par deux.

ATTAQUE : ☆☆★★★
DÉFENSE : ☆☆☆☆★
VITESSE : ☆☆☆★★
PORTÉE : ☆☆★★★
RÉSISTANCE AU FEU : ☆☆☆☆☆

ARMURE AUX AILES NOIRES

Elle augmente la puissance d'attaque d'une frappe.
Elle permet aussi de sauter plus loin et plus haut.

ATTAQUE : ☆☆☆☆☆
DÉFENSE : ☆★★★★
VITESSE : ☆☆☆★★
PORTÉE : ☆★★★★

DONNÉES SUR LES ESPRITS

AQUARIUS DU VERSEAU

C'est l'une des portes des voies d'or. Elle déclenche une déferlante qui emporte indifféremment ses ennemis et ses alliés. Elle est très puissante mais difficile à utiliser puisqu'on ne peut l'appeler que dans les endroits où il y a de l'eau.

Force : 250
Attaque : 388
Défense : 275
Points de magie : 100
En activité : seulement le mercredi.

TAURUS DU TAUREAU

C'est l'une des portes des voies d'or. Il est très puissant mais c'est aussi un esprit pervers obsédé par la poitrine des filles.

Force : 160
Attaque : 200
Défense : 154
Points de magie : 52
En activité : lundi, mercredi, jeudi, samedi.

CANCER DU GRAND CRABE

C'est l'une des portes des voies d'or. Il est incapable de percevoir ce qui se passe et termine toutes ses phrases par « homard ».

C'est le coiffeur attitré de Lucy.

Force : 147
Attaque : 176
Défense : 179
Points de magie : 51
En activité : mardi, vendredi, samedi, dimanche.

VIRGO DE LA VIERGE

C'est l'une des portes des voies d'or. À l'origine, elle était liée au comte Ebar mais elle a rejoint Lucy. Elle est très douée pour creuser des trous.

Force : 121
Attaque : 164
Défense : 84
Points de magie : 43
En activité : du lundi au samedi.

HOROLOGIUM DE L'HORLOGE

Il peut donner l'heure dans le monde entier. Une fois installé à l'intérieur, la personne est en sécurité mais impossible de se faire entendre, l'horloge parle donc à la place de son occupant.

Force : 85
Attaque : 33
Défense : 113
Points de magie : 16
En activité : du lundi au samedi.

LYRA DE LA LYRE

C'est une fameuse chanteuse. Elle a une très belle voix et sait toucher le cœur de ses auditeurs. Elle en sait beaucoup plus qu'on ne pourrait le croire.

Force : 54
Attaque : 62
Défense : 81
Points de magie : 18
En activité : le 2e mercredi du mois et le 3e jeudi et le 3e vendredi du mois.

NIKOLA DU CHIOT (PLUE)

Pour une raison inconnue, cet esprit familier tremble tout le temps. C'est censé être un chien mais pour le voir, il faut faire un gros effort d'imagination.

Force : 8
Attaque : 2
Défense : 3
Points de magie : 1
En activité : tout le temps.

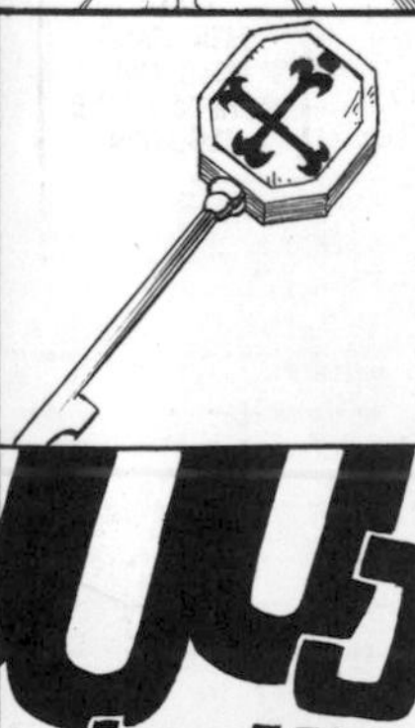

CRUX DE LA CROIX DU SUD

Encore inconnu...

LA CLÉ DE LA RÉCOMPENSE

On peut penser que c'est celle de l'une des portes des voies d'or mais on ne sait encore rien à son sujet.

(PETIT) UN BOULOT POUR HAPPY

CETTE FOIS, NOTRE MISSION...

CONSISTE À CHASSER DES SOURIS D'UNE RÉSIDENCE EN RUINE.

C'EST MIRAJANE QUI M'A CONFIÉ CETTE MISSION.
POURQUOI JE DOIS CHASSER LES SOURIS ?
PARCE QUE TU ES UN CHAT.

MAIS CES SOURIS-LÀ CRACHENT UN GAZ MORTEL !
PFOU
D'ACCORD !
J'Y VAIS !

EUH... C'EST UNE TAPETTE À MOUCHES, ÇA, NON ?
OUI !
MOUCHE
TADAM

BROOOM
BROOOM
AAAAAAH !
HIIIIIIIIIIII !
HAPPY ! TA TAPETTE À MOUCHES !
TU VEUX PAS APPELER UN DE TES ESPRITS ?!
D'ACCORD, JE M'EN OCCUPE !
TSAP
OUVRE-TOI... EUH...
OUPS... BAH... MINCE... J'AI OUBLIÉ MES CLÉS À LA MAISON.
RAH ! T'ES TROP BÊTE !
TU CROIS ?

PLAM

HAN ! HAN !

HAN ! HAN !

BONG COUIC COUIC PAM PAM

QU'EST-CE QU'ON VA FAIRE ! ELLES SONT TOUJOURS LÀ !

BONG COUIC BONG PAM

ON NE DOIT PAS BAISSER LES BRAS ! ON DIT BIEN QUE LE CHAT AUX ABOIS SORT SES GRIFFES...

EN SE DONNANT À FOND, UN CHAT FINIT TOUJOURS PAR VAINCRE LES SOURIS...

MAIS LE CHAT, C'EST MOI !
BONG
ET SI TU TE TAISAIS... ?

PFOU
PFOU
PFOU
PFOU
C'EST QUOI, ÇA ?
DU GAZ MORTEL ?!

AAAA-AAAH !
AU SECOURS !
CALME-TOI, LUCY !
JE VIENS D'AVOIR UNE IDÉE !

DING DONG
SI ON AVAIT HOROLOGIUM, ON POURRAIT SE METTRE À L'ABRI !
MAIS TU AS LAISSÉ TES CLÉS CHEZ TOI...
POUF
T'AVAIS OUBLIÉ QUE JE POUVAIS VOLER ?

FLAP FLAP FLAP FLAP FLAP

JE VAIS LES CHERCHER !

HAPPY !

...

DIS...

SI TU PEUX VOLER...

TU POURRAIS M'EMMENER...
BEUH

FIN

La guilde des arts que nous avons lancée dans le précédent volume a fait le plein de dessins ! Le temps de rassembler des cadeaux, on commencera à les publier dans le prochain volume, mais vous pouvez continuer à envoyer vos dessins. Mais quand vous nous écrivez faites attention à trois choses :

1 : le dessin doit tenir sur une carte postale (s'il est trop grand ou trop petit, il ne sera pas publié).
2 : le dessin doit être fait au feutre noir (la couleur et la plume passent mal à l'impression).
3 : n'oubliez pas de mettre votre nom (si vous avez un pseudonyme mettez aussi votre vrai nom) et votre adresse.

ÉCRIVEZ À :
PIKA ÉDITION
19 BIS, RUE LOUIS-PASTEUR
92100 BOULOGNE BILLANCOURT
POUR PLUS D'INFORMATIONS : WWW.PIKA.FR

NOUS SÉLECTIONNERONS LES MEILLEURS DESSINS ET NOUS LES ENVERRONS À L'AUTEUR.

Bon, maintenant, parlons de ce volume. une s-quest ! C'est quoi, au fait, ce "s" ? C'est le "s" de""super", de "spécial" et de "super craignos !". En clair, c'est une mission fantastique ! Natsu et les autres se sont lancés là-dedans alors que c'est au-dessus de leurs forces. Au début, je me suis demandé ce que j'allais faire pour cette histoire et j'ai décidé de révéler une partie du passé de Grey. Pourquoi Grey ?! Bah... euh... en fait, c'est sans importance. Non, car beaucoup de filles sont dingues de lui !

En fait, je trouvais qu'il n'était pas assez mis en valeur et j'ai voulu changer ça. Dans un volume précédent, Mirajane a évoqué le fait que tous les membres de Fairy Tail avaient un passé tragique, c'est aussi le cas pour Erza, Loki et Elfman. Je raconterai leur histoire dans les prochains chapitres. Je me demande souvent quel personnage je dois mettre en avant.

FAIRY TAIL
PROCHAINEMENT DANS LE VOLUME 5
CHIEN DE FAIRY TAIL !

LEON CARESSE LE RÊVE FOU DE RÉVEILLER DELIORA !

L'ACTION ET LES COMBATS S'ENCHAÎNENT...

ET LUCY !

ÇA MARCHE ! VIENS TE BATTRE !

EN AVANT !

EN CLAIR, VOUS VOUS OPPOSEZ À FAIRY TAIL !

POUR NATSU...

ET C'EST UNE RAISON SUFFISANTE POUR ME BATTRE CONTRE VOUS !

LA MISSION SE COMPLIQUE !

QUE CACH LE PASS DE GREY ET LEON ?

DES RÉPONSES DANS LE PROCHAIN VOLUME DE FAIRY TAIL !

Titre original :
FAIRY TAIL, vol. 4
© 2007 Hiro Mashima
All rights reserved.
First published in Japan in 2007
by Kodansha Ltd., Tokyo.
Publication rights for this French edition
arranged through Kodansha Ltd., Tokyo.

Traduction et adaptation : Vincent Zouzoulkovsky
Création d'illustrations : Sébastien Douaud
Édition française
2009 Pika Édition
ISBN : 978-2-84599-987-9
Dépôt légal : janvier 2009
Achevé d'imprimer en Italie
par L.E.G.O. S.p.A Lavis TN en août 2011
Diffusion : Hachette Livre